NOUVEAU PIXEL

Méthode de français

Livre de l'élève

Catherine **Favret**

CLE
INTERNATIONAL
www.cle-inter.com

Contenus

Phonétique	Thème-lexique	Objectifs de communication	Civilisation
• [ʀ] • [u] = *ou* • [y] = *u* • [wa] = *oi*	• L'abécédaire • Les noms de pays européens et francophones • Les salutations	• Reconnaître le français • Saluer • Se présenter	• Francophonie : *Ils parlent tous français !*
• [s] / [z] *(absent / présent)* • La liaison et l'élision • [e] / [ə] *(les / le)*	• Le collège • Les objets de la classe • L'âge • La caractérisation 1 : (*grand, petit*, etc.) • Les nombres de 1 à 50 • Les matières scolaires • Les jours de la semaine	• Exprimer ses goûts • Parler du collège • Présenter et décrire quelqu'un • Communiquer en classe • Parler de son emploi du temps	• *Le collège en France*
• [e] / [ɛ] *(chez / fête)*	• Les mois de l'année • Les nombres de 50 à 100 • L'adresse et le numéro de téléphone • La caractérisation 2	• Téléphoner • Dire la date • Inviter quelqu'un • Accepter ou refuser une invitation • Décrire quelqu'un	• *Comment on fait la fête en France ?*
• [ʃ] / [ʒ] *(acheter / manger)*	• La famille • Les cadeaux • Les vêtements et les couleurs • Quelques formes et matières (*rond, carré, plastique, métal...*)	• Présenter sa famille • Poser des questions sur quelqu'un, quelque chose • Parler des projets • Décrire un objet	• *Les fêtes de fin d'année*
• Les nasales : [ã] / [ɔ̃] *(dent / front)*	• Les activités sportives et extrascolaires • Quelques verbes de mouvement (*courir, sauter, lancer...*) • Le corps humain • *J'ai mal à*	• Parler de ses activités extrascolaires • Donner des ordres, instructions, conseils • Situer dans l'espace 1 • Parler des mouvements • Exprimer ses sensations	• *Des sports à la mode*
• [b] / [v] *(bison / vison)* • Le « e » muet et les lettres qu'on écrit mais qu'on ne prononce pas	• La ville • Les moyens de transports	• Parler des lieux de la ville • Situer dans l'espace 2 • Indiquer un chemin, une direction • Demander un chemin • Parler des moyens de transport	• Forum : *J'adore ma ville !* (Montréal, Bruxelles, Dakar)
• [œ] / [ø] *(serveur / serveuse)*	• L'heure • Les points cardinaux • Les saisons et la météo • Les nationalités • Les professions	• Demander et donner l'heure • Donner son emploi du temps • Parler des saisons et de la météo • Parler d'un pays • Parler des nationalités des professions	• *La vie d'artiste*

Des mots dans la ville

 1 Regarde les photos et les étiquettes. Quels mots tu comprends ?

Salade du Rallye 8€
Salade de chèvre au Magret Séché 7€50
Salade Landaise 9€
Noix d'Entrecôte 14€
Magret Sauce au Poivre 13€
Hamburger 7€
Cheeseburger 7€50
Steack Haché à Cheval 7€
Crêpe Saumon Fumé et Chèvre Frais 7€
Croque Monsieur 5€50
Croque Madame 6€
Omelette Nature 5€
Omelette Jambon ou Fromage 6€
Assortiment de Pâtes Fraîches 8€
Nos Plats sont servis avec Salade ou Frites Fraîche

oui

non

bus

pain

chocolat

rock

collège

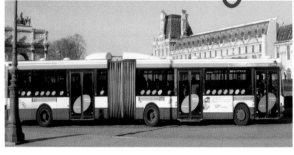

camembert

baguette

 2 Écoute la prononciation.

3 Quels autres mots tu connais ?

On embarque

 1 Écoute et lève la main quand tu entends le français.

 2 Écoute les sons R [r], U [y], OU [u] et OI [wa].

 3 Répète.

Ils parlent tous français !

 1 Écoute et associe les photos aux phrases.

1. Je m'appelle Moussou Koro Diop. J'habite à Dakar, au Sénégal.

2. Je m'appelle Zacharie Magloire. J'habite à Québec, au Canada.

3. Elle s'appelle Anissa Missoum. Elle habite à Alger, en Algérie.

4. Il s'appelle Albert. Il habite à Bruxelles, en Belgique.

C'est Gustave.
Il habite en Suisse.
Il parle français.

2 Cherche les pays sur la carte de la Francophonie.

L'alphabet du voyageur

Saïgon

A comme Alger
B comme Bruxelles
C comme Casablanca
D comme Dakar
E comme Edimbourg
F comme Francfort
G comme Genève
H comme Hanoï
I comme Islamabad
J comme Johannesburg
K comme Kigali
L comme Lyon
M comme Montréal
N comme New York
O comme Ouagadougou
P comme Paris
Q comme Québec
R comme Rouen
S comme Saïgon
T comme Tunis
U comme Ushuaia
V comme Vannes
W comme Waterloo
X comme Xérès
Y comme Yaoundé
Z comme Zurich

1 **Lettres et sons.**

 a. Lis et écoute.

 b. Répète l'alphabet.

Genève

Montréal

Waterloo

Paris

Tunis

Ouagadougou

2 **Un peu de francophonie.**

Cherche cinq pays non francophones sur la carte de la Francophonie.

Unité 0

Bonjour, tout le monde

 1 Regarde les photos et écoute les salutations.

> *Salut, ça va ?*

> *Ça va !*

> *Bon, au revoir, monsieur !*

> *Au revoir ! À bientôt !*

> *Bonjour mademoiselle.*

> *Bonjour Jérôme.*

> *Un pain au chocolat, s'il vous plaît !*

Des mots pour...

Saluer

– *Salut* ou *ça va ?*
– *Bonjour (madame/monsieur/mademoiselle)*
– *Au revoir !* ou *Au revoir (madame/monsieur/ mademoiselle)*
– *À bientôt !*

 2 On dit *salut* à un camarade ou à un inconnu ?

 3 Dans la classe, salue un(e) camarade et le professeur.

Présentations

 4 Écoute et relie les dessins aux situations.

1. *Bonjour tout le monde, je me présente : Hugues.*

2. *Bonjour madame, je suis Renaud Polensac, le directeur commercial de Picrosov.*
   – *Enchantée, je suis Valérie Durand, directrice de Apfel.*
   – *Enchanté !*

3. *Comment tu t'appelles ?*
   – *Aminata. Et toi ?*
   – *Je m'appelle Aurélie.*

a.

b.

c.

 5 Présente-toi à un(e) camarade.

Au collège

Qu'est-ce que tu vois sur les photos ?

Projet   Créez la page Web d'un collège « pas comme les autres ».

Leçon 1

- Tu parles du collège.
- Tu présentes et tu décris quelqu'un.

Leçon 2

- Tu parles du matériel scolaire.
- Tu parles en français dans la classe.

Leçon 3

- Tu fais ton emploi du temps en français.
- Tu exprimes tes goûts.

La rentrée

Dans la cour du collège…

 1 Écoute et lis. Qui parle ?

Dialogue 1

- *Qui c'est, le brun ?*
- *Quel brun ?*
- *Le monsieur, avec la barbe !*
- *Ah, lui ? C'est le prof de maths, Berzot.*
- *Il est sympa ?*
- *Oui… ça va.*

Dialogue 2

- *Qui c'est la fille blonde, là ? Elle est dans quelle classe ?*
- *Ce n'est pas une élève !*
  C'est la surveillante, Julie !
- *Elle est jeune !*
- *Oui, elle a 19 ans !*
- *Elle est jolie !… Elle est sympa ?*
- *Oui, elle est très sympa.*

 2 Réponds aux questions dans ton cahier.

a. Comment s'appelle le prof de maths ?

Il s'appelle (…)

b. Comment s'appelle la surveillante ?

Elle s'appelle (…)

c. Quel âge elle a ? *12 ans. 14 ans. 19 ans.*

3 **Qui c'est ? Associe les personnages de l'illustration à la description.**

a. C'est Pauline, c'est une élève du collège Voltaire. Elle est brune. Elle a 12 ans.

b. C'est Madame Dubosc, la directrice du collège Voltaire. Elle est blonde. Elle a 52 ans.

c. C'est Lucas, c'est un élève du collège Voltaire. Il est blond. Il a 14 ans.

 4 **Observe les deux tableaux et réponds aux questions.**

a. Quel est le masculin de *blonde* ?

b. Quel est le féminin de *jeune* ?

c. Et dans ta classe, qui est brun ? qui est blonde ?

Les nombres

 5 **a. En cours d'éducation physique, écoute la prof et répète.**

b. Seulement 10 ? Continue avec elle jusqu'à 20.

1	2	3	4	5
un	deux	trois	quatre	cinq
6	**7**	**8**	**9**	**10**
six	sept	huit	neuf	dix
11	**12**	**13**	**14**	**15**
onze	douze	treize	quatorze	quinze
16	**17**	**18**	**19**	**20**
seize	dix-sept	dix-huit	dix-neuf	vingt

Comment ça marche ?

	Les articles		Les adjectifs
	indéfinis	définis	
masculin	un garçon	le garçon / l'élève	brun
féminin	un**e** fille	la fille / l'élève	brun**e**

p. 81

C'est (+ article) + nom

Qui c'est ?

 6 **Présente un(e) camarade comme dans l'exemple.**

C'est Alex, c'est un élève, il a 12 ans.

C'est Olive, c'est une élève, elle a 12 ans.

Des mots pour...

Décrire (adjectifs)

sympa / sympa
jeune / jeune
grand / grande
petit / petite
blond / blonde
brun / brune
joli / jolie
gros / grosse

Parler du collège

un(e) élève
un(e) professeur
un(e) surveillant(e)
une classe
la cour
le directeur / la directrice

Leçon 2  En classe

Dans la classe

 1 Écoute le nom des objets et répète.

 un sac à dos

 un livre — un cahier

une trousse

une règle

un crayon

des ciseaux

un stylo

 un tableau

 2 Cherche les objets précédents sur la photo.

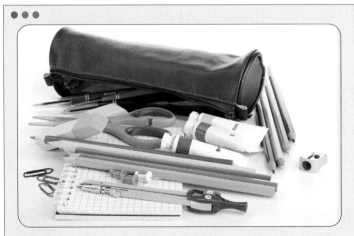

 **3** Observe le tableau. Pour former le pluriel, qu'est-ce qu'on ajoute ?

Comment ça marche ?	Le pluriel	
	singulier	pluriel
articles indéfinis	un, une	de**s**
articles définis	le, la, l'	le**s**
noms	livre	livre**s**
adjectifs	blond	blond**s**

 p. 81

 4 Écris dans ton cahier le nom de cinq objets de ta classe.

5 sacs à dos, 8 stylos bleus…

Les profs

 5 Écoute le professeur et retrouve la situation.

a. Le professeur est…
- un homme.
- une femme.

b. La situation est…
- au début du cours.
- à la fin du cours.

c. Qui est absent ?
- Jonathan.
- Pauline.

d. Qui est en retard ?
- David.
- Aurélie.

 6 Et toi ? Cite les objets de ta trousse.

Les nombres

 7 Écoute le professeur et répète.

 8 Continue avec lui... *28, 29, 30, 31, 32...*

 9 Continue jusqu'à 69.

En français, s'il vous plaît !

Dans ma classe, il y a 27 élèves ! 20, 21, 22, 23, 24, 25, 26, 27 !

Vous pouvez répéter, s'il vous plaît ?

Je ne comprends pas.

Taisez-vous !

Maxime, répète !

Qu'est-ce que ça veut dire « souvent » ?

Julie, tais-toi !

J'ai oublié mon livre.

Vous comprenez ?

Comment on dit « thank you » en français ?

Prenez les cahiers !

10 Lis les questions et consignes de classe et réponds.

 a. Que dit le professeur ?
Que disent les élèves ?

 b. Écoute et vérifie.

Écrivez !

Lisez !

Répétez !

Pauline, à toi !

◯ Le [s] de *absent* et le [z] de *présent*

 11 Écoute et lève la main quand tu entends le son [z] puis vérifie.

- Lisez !
- la classe
- Taisez-vous !
- S'il vous plaît !
- quatorze
- français
- trente-sept

 12 Écoute : tu entends le son [z] ?
Ce sont des liaisons.

- les élèves
- les enfants
- des éléphants

● ● ● Virelangue

Zazie au zoo zozote devant les éléphants.

Za, alors !

Leçon 3 — Des matières à faire

Dans la classe

 1 Regarde l'emploi du temps de Pauline et réponds dans ton cahier.

a. À ton avis, SVT, c'est (…)
- Salsa, valse et tango ?
- Sciences de la vie et de la Terre ?
- Spécial vampire terrible ?

b. Et EPS, c'est (…)
- Éducation physique et sportive ?
- Élève pas sympa ?
- Enseignement pas sérieux ?

	LUNDI	MARDI	MERCREDI	JEUDI	VENDREDI
8h-8h55	français	histoire-géo	français	anglais	EPS (à 8h30)
9h-9h55	français	arts plastiques	français	maths	EPS (à 8h30)
10h-10h30	RÉCRÉ !				
10h30-11h25	anglais	SVT	histoire-géo	physique-chimie	maths
11h25-12h20	anglais	SVT		physique-chimie	maths
	CANTINE				
14h-14h55	maths	EPS (jusqu'à 15h30)		musique	anglais
15h-15h55	éducation civique	EPS (jusqu'à 15h30)		français	techno (jusqu'à 16h30)
16h-17h					

 2 Retrouve la terminaison de *géo-, techno-, math-* :
- -émathiques
- -graphie
- -logie.

 3 Compare avec ton emploi du temps : tu as combien d'heures de maths ? Et de langues étrangères ?

4 Écris ton emploi du temps en français dans ton cahier.

Profs adorés…

5 Écoute Pauline (de 5e) et Antoine (de 3e) parler des professeurs. Complète les phrases dans ton cahier.

a. Madame Leclerc, c'est la prof de (…)

b. Monsieur Ducroc, c'est le prof de (…)

c. Antoine aime bien ☺ (…)

d. Antoine déteste ☹ (…)

e. Cette personne est (…)

6 Réponds.

a. Comment est la prof de français ?

b. Et le / la prof de SVT de ta classe ? *Il / Elle est (…) Il / Elle a (…)*

La rentrée entre ados

7 Lis les commentaires des ados. Qui aime quoi ? Qui déteste quoi ?

Tchat rentrée

Paulinou 98

Les maths, c'est super, j'adore ! Le prof est mignon... J'aime bien les SVT, mais je déteste la prof. Mes copains Sarah et Julien aiment bien la prof, mais moi.... NOOON !

Marine 125

Les maths, oui, c'est bien. Moi, j'adore la physique et j'aime bien le français. Ma matière préférée, c'est la musique ! Vous aimez ?

Paulinou 98

La musique ? Quelle horreur ! C'est nul ! Je déteste !

Lyokoguerrier 5

Moi, j'aime bien, mais je déteste les cours de flûte ✚ ! Je préfère les arts plastiques, on regarde des BD.

8 Retrouve dans le texte les verbes : *adorer, détester, préférer, aimer.* À quelle personne correspond chaque verbe ? Vérifie avec le tableau.

Comment ça marche ?

Les verbes en **-er**	
Je	détest**e**
Tu	détest**es**
Il/Elle	détest**e**
Nous	détest**ons**
Vous	détest**ez**
Ils/Elles	détest**ent**

↝ p. 82

L'élision

Je déteste   **J'a**ime / **J'a**dore

9 Et toi, quelles matières tu aimes bien ? ☺

Le [e] de *les* et le [ə] de *le*

10 Écoute et répète en rythme.

JE ME LE BE LE
GÉ MÉ LÉ BÉ LÉ
J'AIME LES BD
JE ME LE BE LE
GÉ MÉ LÉ BÉ LÉ
J'AIME LES PIEDS DE NEZ

11 Observe et répète à nouveau.

JE ME LE BE LE		[ə]
GÉ MÉ LÉ BÉ LÉ		[e]

Le collège en France

Collège, école ou lycée ?

 1 Regarde ce tableau : en France, les jeunes de ton âge vont à l'école, au collège ou au lycée ?

ÂGE	CYCLE		CLASSE	ÉTABLISSEMENT
6-7 ans	PRIMAIRE		CP	école primaire
7-8 ans			CE1	
8-9 ans			CE2	
9-10 ans			CM1	
10-11 ans			CM2	
11-12 ans	SECONDAIRE	1er CYCLE	sixième (6e)	collège
12-13 ans			cinquième (5e)	
13-14 ans			quatrième (4e)	
14-15 ans			troisième (3e)	
15-16 ans		2e CYCLE	seconde (2nde)	lycée
16-17 ans			première (1re)	
17-18 ans			terminale	

 2 Écoute ces élèves se présenter.

Note leur âge et dis où ils vont : école, collège, ou lycée ?

Morgane

Rayan

Boris

« Vive les vacances ! »

En France, la rentrée, c'est la première semaine de septembre !
Mais il y a beaucoup de vacances pendant l'année scolaire :

- les vacances de la Toussaint (octobre),

- les vacances de Noël (décembre),

- les vacances d'hiver (février),

- les vacances de Pâques (avril),

- les vacances d'été (juillet, août).

2016

JANVIER 2016 FÉVRIER 2016 MARS 2016 AVRIL 2016

MAI 2016 JUIN 2016 JUILLET 2016 AOÛT 2016

SEPTEMBRE 2016 OCTOBRE 2016 NOVEMBRE 2016 DÉCEMBRE 2016

 3 C'est la même chose dans ton pays ? Tu as les mêmes vacances ?

Un collège pas comme les autres

 4 Lis ce publi-reportage et réponds aux questions.

a. Ce collège est pour les élèves :
- bons en sport.
- à problèmes.
- bons en SVT.

b. La matière principale du collège, c'est :
- la piscine.
- les maths.
- le ski.

c. Où se situe le Vercors ? Cherche sur la carte de France.

d. Cite un collège « pas comme les autres » dans ton pays.

REPORTAGE

Bienvenue au collège Sport Nature de la Chapelle en Vercors !

Le collège de la Chapelle en Vercors est situé dans les montagnes du Vercors, à une altitude de 950 m, au centre du Parc Naturel Régional.
Le collège a 230 élèves. Dans leur emploi du temps, ils ont 3 heures d'activités physiques en pleine nature et 3 heures d'EPS.

En hiver, le ski est une matière aussi importante que le français ou les maths !

On a 4 heures de ski de pistes et 4 heures de ski de fond par semaine. C'est super !

« Si vous êtes sportif, si vous aimez le ski et les sports d'hiver, le collège de la Chapelle en Vercors est pour vous ! »

5 Imagine : tu vas dans un collège « pas comme les autres ». Quelle est la matière principale ?

le ski ? le football ? le théâtre ? le cinéma ? la musique ? l'équitation ? le tennis ?

Discute avec ton voisin/ta voisine des matières de ton collège « pas comme les autres ».

♪ Cherche sur Internet la chanson *Bye Bye Collège* de Ilona Mitrecey. Écoute et chante.

Bilan

GRAMMAIRE

Les articles définis

 ❶ Associe les noms à l'article correct.

a. directeur

b. cour

c. élève

d. directrice

e. surveillante

f. maths

g. sac à dos

h. trousse

1. le

2. la

3. l'

4. les

Les verbes en -er

 ❷ Complète les phrases avec les verbes conjugués. Écris sur ton cahier.

aimes – déteste – adore – aimez – préfère – adorons

a. Pauline (…) les maths : c'est super !

b. – Tu (…) la musique ?

– Je (…) ! C'est nul !

c. – Sarah et Julien, vous (…) l'anglais ?

– Oui, génial ! Nous (…) ! Et toi ?

– Moi, je (…) le français.

Le féminin des adjectifs

 ❸ Transforme les phrases au féminin. Écris sur ton cahier.

a. C'est un élève de 6ᵉ. Il est petit et gros.

b. C'est le directeur. Il est blond et grand.

c. C'est un surveillant. Il est jeune et sympa.

d. C'est le prof de sport. Il est brun, petit et jeune.

e. Qui c'est le garçon blond, là ?

VOCABULAIRE

Les jours de la semaine

 ❹ Complète les phrases avec le bon jour de la semaine.

a. (…), c'est le premier jour de la semaine.

b. Je finis les cours au collège le (…).

c. Le week-end, c'est le (…) et le (…).

Les matières

 ❺ Associe la matière à la bonne phrase.

a. les maths

b. la musique

c. l'EPS

d. les arts plastiques

e. le français

1. Je lis.

2. Je fais du foot.

3. Je fais de la flûte.

4. Je compte.

5. Je regarde des BD.

PHONÉTIQUE

Les sons [s] et [z]

 ❻ Recopie le tableau. Écoute et coche le son.

	a.	b.	c.	d.	e.
[s]					
[z]					

COMMUNICATION

Compter de 1 à 50

 7 Lance une gomme à un(e) camarade et dis un nombre. Il/Elle prend la gomme et dit le nombre suivant.

Décrire quelqu'un

 8 Jeu : Pense à quelqu'un. Tout le monde dans ta classe connaît cette personne. Donne des indices, un à un. Le premier qui trouve, gagne !

• • •

Élève 1
- *Il a les cheveux gris.*

Élève 2
- *C'est un professeur ?*

Élève 1
- *Oui et il a des lunettes rouges.*

Élève 2
- *Monsieur Ducroc !*

Communiquer en classe

 9 Imagine : tu es le professeur. Donne des ordres à toute la classe ! Réponds aux questions des élèves.

Vous pouvez répéter, s'il vous plaît ?

Je ne comprends pas.

Comment on dit « ... » ?

Qu'est-ce que ça veut dire « ... » ?

Poser des questions sur quelqu'un

 10 a. Regarde ces images et écoute l'enregistrement.

Qui c'est ?
Comment il/elle est ?
Il/Elle est dans quelle classe ?
Quel âge il/elle a ?

 b. Pose des questions à ton voisin.

Mémoriser le vocabulaire des leçons

 11 Retrouvez des mots connus comme dans l'exemple.

Élève 1
- *A ?*

Élève 2
- *A comme arts plastiques. B ?*

Élève 3
- *B comme BD. C ?*

Élève 4
- *C comme cahier. D ?*

Élève 5
- *D comme détester...*

Pensez aux matières et matériel de classe...

Vous comprenez ?

Projet

Créez la page Web d'un collège « pas comme les autres ».

Choix d'un collège « pas comme les autres »

 ❶ Trouvez des idées.

collège sport

collège musique

collège théâtre

collège danse

 ❷ Votez pour un collège.

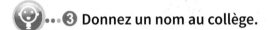 ❸ Donnez un nom au collège.

Collège Roger Federer

Collège Marion Cotillard

❹ Quelles sont les matières « différentes » de votre collège ?

À l'aide de l'encadré « Des mots pour… », trouvez des idées de matières.

Des mots pour...

Parler d'activités	
• danse classique	• tennis
• théâtre	• natation
• violon	• football

Création de la page Web

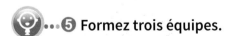 ❺ Formez trois équipes.

a. L'équipe 1 écrit une petite présentation.

b. L'équipe 2 parle de la matière « pas comme les autres ».

c. L'équipe 3 invente les commentaires de deux élèves du collège.

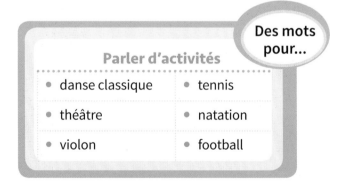

(…)

(…)

❻ Rassemblez les informations et montez la page Web !

Pour trouver des idées, consultez le site suivant.

http://www.ac-grenoble.fr/college/la-chapelle

Unité 2

Joyeux anniversaire

Qu'est-ce que tu vois sur les photos ?

 **Faites une carte d'invitation.**

Leçon 1

- Tu téléphones.
- Tu dis la date.

Leçon 2

- Tu invites quelqu'un.
- Tu acceptes ou refuses une invitation.

Leçon 3

- Tu décris quelqu'un.

Qui appelle qui ?

 1 Écoute et associe les situations aux personnages.

Situation 1

- *Allô Léa, bonjour, c'est Marine.*
- *Bonjour, ça va ?*
- *Oui, ça va. Tu vas à la fête ?*
- *Comment ?*
- *Est-ce que tu vas à la fête ?*
- *Quelle fête ?*
- *L'anniversaire de Valentin.*
- *Ah, oui ! Je suis invitée. C'est samedi 22 octobre, à 5 heures.*
- *Super ! À samedi, alors !*
- *OK, à samedi. Salut.*

Situation 2

Le 20 octobre, à 7 heures du matin.

- *Allô… allô… Valentin ?*
- *Oui, allô ?*
- *Valentin, c'est Mamie… Bon anniversaire, mon chéri !!!*
- *Euh, merci Mamie… mais ce n'est pas aujourd'hui.*
- *Ah non !!!????*
- *C'est demain, Mamie ! Mon anniversaire, c'est le 21 octobre.*
- *Mais… quel jour on est aujourd'hui ?*
- *Aujourd'hui, on est le 20 octobre…*
- *Ah, désolée… ! Je t'appelle demain.*

 2 Réponds aux questions.

Situation 1

a. La fête d'anniversaire de Valentin est…
- le 21 octobre.
- le 22 octobre.

b. Léa…
- va à la fête de Valentin.
- ne va pas à la fête de Valentin.

Situation 2

a. Qui téléphone à Valentin ?
- Marine.
- Mamie.

b. L'anniversaire de Valentin est le…
- 20 octobre.
- 21 octobre.

Pour tous les âges !

 **3** Ils ont quel âge ? Associe les dessins aux phrases.

a.

Nous avons 13 ans.

b.

Elle a 77 ans !

c.

J'ai 12 ans.

4 Écoute le verbe *avoir.* Où sont les liaisons ?

Comment ça marche ?

Avoir	
J'**ai**	Nous **avons**
Tu **as**	Vous **avez**
Il/Elle/On **a**	Ils/Elles **ont**

↪ p. 86

5 Cherche deux camarades qui ont 12 ans et un(e) camarade qui a 11 ans.

 On a 13 ans !   on = *nous*

6 Écoute les deux situations et réponds.

Situation 1
– Aujourd'hui, c'est ton anniversaire ?
– Oui !
– Tu as quel âge ?
– J'ai 12 ans.
Le verbe *avoir* se prononce [a] à quelles personnes ?

Situation 2
– Alex a 11 ans, et vous, vous avez quel âge ?
– Oh, moi j'ai 100 ans !

 7 Aide Valentin à préparer un quiz sur le cinéma pour sa fête. Pose des questions avec le verbe *avoir.*

Quiz Cinéma

- Dans *Le Hobbit*, qui a le trésor de la Montagne solitaire ?
- Dans *Astérix et le domaine des dieux*, Astérix et Obélix ont quel problème ?

Questions et réponses

8 Écoute et réfléchis.

a. Les deux questions ont le même sens ?

b. Quelles sont les deux réponses possibles ?

On compte !

9 Écoute les dizaines puis répète !

Dix, vingt, trente, quarante, cinquante, soixante, soixante-dix, quatre-vingts, quatre-vingt-dix, cent !

10 Écoute et répète les numéros de téléphone de Valentin.

 11 Donne ton numéro de téléphone à un(e) camarade.

Quel jour on est ?

 12 Associe les dates aux mois de l'année.

a. 25/12/2011

b. 01/01/2012

c. 24/04/2013

d. 25/05/2015

e. 27/07/2009

f. 28/08/2009

1. janvier

2. avril

3. décembre

4. juillet

5. août

6. mai

Leçon 2  **Je t'invite...**

L'invitation

1 Lis cette carte d'invitation et réponds aux questions.

Je t'invite à mon anniversaire !

C'est mon anniv'. Tu viens chez moi ?
Je t'invite !

   Valentin

Quand ? 22 octobre – 17 h

Où ? 18 rue de Waterloo, 75014 Paris

Contact Tél.: 06 24 35 12 87

a. C'est une invitation pour...
- une excursion.
- un anniversaire.

b. La fête, c'est...
- chez Valentin.
- dans un parc.

c. La fête, c'est...
- le matin.
- l'après-midi.

Oui et non

 2 Lis ces textes et réponds.

a. Qui va à la fête de Valentin ?

b. Qui ne va pas à la fête de Valentin ?

> 💡 Chez = *le domicile de (Valentin)*

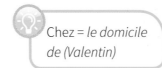

thomato@hotmail.com
à : valentin99@yahoo.fr
objet :
Valentin,
Le 22 octobre, je viens,
c'est d'accord !
Et Aude, elle vient ?
Salut,
Thomas

Désolée Valentin,

Le 22 octobre,
je ne peux pas venir.
Je vais au cinéma
avec Mamie.
Dommage !
Bises.
Aude

mleibniz@gmail.com
à : valentin99@yahoo.fr
objet : anniversaire
Valentin,
Merci pour ton invitation mais
samedi, je ne suis pas libre :
j'ai un match de foot.
Désolé.
Salut,
Mathieu

Biz Bastien

Salut. Merci pour l'invit'. Super ! On vient Julien et moi.
Tchao Bastien

3 Qu'est-ce qu'on dit pour accepter une invitation et pour refuser ? Fais 2 listes dans ton cahier.

 Le cinéma ➜ Je vais **au** cinéma.
La fête ➜ Elle va **à la** fête.

 4 Écoute ces conversations téléphoniques. Réponds aux questions.

a. Thomas parle avec…
- Aude et Valentin.
- Aude et Aurélie.

b. Thomas veut savoir…
- qui va à la fête de Valentin.
- qui va à la piscine.

6 Observe la négation. Où se trouve le verbe ?

Comment ça marche ?

La négation

Mon anniversaire, ce **n'**est **pas** aujourd'hui.
Il **n'**est **pas** libre.
Elle **ne** peut **pas** venir.
Tu **n'**as **pas** cours de géo demain.
Nous **n'**aimons **pas** chanter.
Vous **n'**aimez **pas** la gym ?

p. 84

5 Lis la conjugaison de *aller.* À quelles personnes on retrouve *all-* ?

Comment ça marche ?

Aller	
Je **vais**	Nous **allons**
Tu **vas**	Vous **allez**
Il/Elle/On **va**	Ils/Elles **vont**

p. 86

Je **ne** vais **pas** chez Valentin.

Le [e] de *chez* et [ɛ] de *fête*

La fête des sons !

 7 Écoute ces mots. Tu entends [e] de *chez* ou [ɛ] de *fête* ?

- collège
- présent
- école
- matières
- écris
- faire
- rentrée
- être

 8 Écoute la chanson et chante.

Je vais à la fête

De la belle Alizée

Il y a aussi Juliette

On va bien danser !

Le jour J

Il y a de l'ambiance !

1 **Regarde le dessin et trouve :**

a. Les frères Térieur : ce sont des jumeaux.

b. Gaëlle : c'est une fille rousse aux yeux verts, avec de grandes dents. Elle est debout. Elle est contente !

c. Manon : c'est une fille avec des cheveux bruns et bouclés et un collier. Elle est allongée.

d. Bastien : il a un chapeau.

e. Thomas : il est assis, il a des boutons. Il est triste.

f. Lucie : c'est une fille blonde avec des cheveux raides et longs. Elle est debout.

> **C'est** un garçon.
> **C'est** une fille.
> **Ce sont** des jumeaux.

2 Un verbe pour décrire : *être.*

 a. Cherche dans les leçons et complète la conjugaison du verbe *être.*

 Comment ça marche ?

Être	
Je (…)	Nous **sommes**
Tu **es**	Vous **êtes**
Il/Elle/On **est**	Ils/Elles (…)

p. 86

 b. Écoute et vérifie.

3 **Écoute les deux dialogues.**

a. Observe le dessin et trouve les personnes qui parlent.

b. Réponds.
- Deux filles parlent de…

  Valentin.   Bastien.   Thomas.

- Elles trouvent le garçon…

  mignon.   moche.   sympa.

- Le garçon et la fille…

  se connaissent.   ne se connaissent pas.

- Le garçon est…

  au collège Voltaire.   au collège Prévert.

Les potins de la fête

4 **Décris les garçons et les filles de la fête (Thomas, Léa, Agathe, etc.).**

Des mots pour…

Décrire une personne

Il/Elle est mignon/mignonne, beau/belle, moche, laid/laide, brun/brune, blond/blonde, roux/rousse…

Il/Elle a les cheveux bruns, blonds, roux, longs, courts, bouclés, raides, de beaux yeux, un beau sourire, des boutons, des lunettes, un collier, un chapeau, une casquette…

Comment on fait la fête en France ?

Les fêtes d'anniversaire

 ❶ En France, on fête son anniversaire à la maison ou on sort !
Quelle(s) invitation(s) tu préfères ?

❷ Trouve une idée originale pour fêter ton anniversaire.

La fête des voisins

 ❸ **Lis le texte et l'encadré.**

La fête des voisins

À Paris, chaque année au printemps (en général à la fin du mois de mai), on organise la fête des voisins. Cette fête rassemble les habitants d'un immeuble ou d'un quartier. Chacun apporte à manger ou à boire. On parle, on s'amuse et surtout on fait connaissance.

L'histoire de la fête des voisins

1999 : création de la fête des voisins à Paris. Elle s'appelle aussi « Immeubles en fête ».

2000 : la fête des voisins se développe dans toute la France.

2001 : 1 million de personnes participe à la fête des voisins en France.

2003 : création de la fête des voisins en Belgique et dans d'autres pays en Europe. Au total, 3 millions de personnes participent.

2014 : 20 millions de participants dans 36 pays.

❹ **Réponds aux questions.**

a. Qui participe à la fête des voisins ?

b. Qu'est-ce qu'on fait à la fête des voisins ?

c. Qu'est-ce que tu penses de la fête des voisins ?

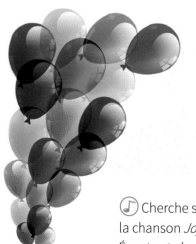

🎵 Cherche sur Internet la chanson *Joyeux anniversaire*. Écoute et chante.

❺ **Recopie le tableau de l'affiche sur ton cahier. Avec tes voisins, complète les informations.**

GRAMMAIRE

Les conjugaisons

 ❶ Recopie le texte dans ton cahier et écris la bonne conjugaison.

● ● ●

C'*est* / *es* / *ai* samedi. D'abord, Valentin *vas* / *va* / *allez* à la piscine, ensuite il *préparent* / *prépare* / *prépares* la fête de l'après-midi. Tous les copains *ont* / *vont* / *êtes* à la fête ! On *sonne* / *sonnent* / *sonnez* à la porte. Valentin *a* / *va* / *allez* ouvrir. Tous les copains *ont* / *sont* / *allons* là ! « Ah, vous *aller* / *être* / *êtes* là ! » dit Valentin, content !

Le féminin, le masculin et le pluriel

 ❷ A. Transforme les phrases au féminin. Écris sur ton cahier.
B. Transforme les phrases au pluriel. Écris sur ton cahier.

a. Il est petit et blond.

b. Il est vieux et roux.

c. Il est mince, brun, jeune et beau.

La négation

 ❸ Complète les phrases avec la négation. Écris sur ton cahier.

a. Il (…) petit et brun, il est grand et blond !

b. Ce (…) un professeur, c'est un élève.

c. Il (…) danse (…), il court.

Les articles

 ❹ Recopie le texte dans ton cahier et trouve le bon article.

● ● ●

Le / *La* monsieur avec *le* / *la* casquette, c'est *un* / *la* professeur. C'est *le* / *un* professeur de mathématiques des 5ᵉ B. C'est *un* / *une* / *le* bon professeur : il aime bien *un* / *les* élèves. Il donne *les* / *des* / *un* exercices intéressants.

VOCABULAIRE

L'invitation

 ❺ Complète la carte d'invitation avec les bons mots. Écris sur ton cahier.

Salut ! Je t'invite à mon (…) samedi.
On va faire la (…) toute la journée !
Tu veux venir ? Tu peux répondre
à cette (…) avant mercredi !
Bises
Chloé

PHONÉTIQUE

Les sons [e] et [ɛ]

 ❻ Écoute et écris sur ton cahier le mot en rouge quand tu entends le son [e] et en vert quand tu entends [ɛ].

COMMUNICATION

Les nombres de 0 à 100

 ●●●**7** **Écoute et écris dans ton cahier les numéros des départements français.**

 ●●●**8** **Donne ton numéro de téléphone portable comme dans l'exemple :**
666 06 73 12

trente-trois *cinq*
neuf *vingt-huit* *sept*
six *un*
deux *quatre*
dix *soixante*

Dire la date

 ●●●**9** **Voici la date de naissance de quelques célébrités…**

a. Dis la date de naissance à voix haute !

Coralie Balmy, nageuse :
née à la Trinité (France),
le 2/06/87.

Marc-André Grondin, acteur :
né à Montréal (Québec),
le 11/03/84.

Samuel Eto'o, footballeur :
né à Nkon (Cameroun),
le 10/03/81.

 b. Écoute la correction.

David Guetta, D.J. :
né à Paris (France),
le 07/11/67.

K-Maro, chanteur :
né à Beyrouth (Liban),
le 31/01/80.

Inviter quelqu'un - Accepter/Refuser une invitation

 ●●●**10** **Tire au sort le nom d'un(e) camarade de classe. Téléphone à ton/ta camarade. Propose une sortie. Il/Elle accepte. Il/Elle refuse.**

Allô ? Ça va ?
C'est moi…
D'accord, OK, super !
Désolé(e), je ne peux pas, dommage !

Se présenter - Présenter quelqu'un - Poser des questions

 ●●●**11** **Invente une identité, puis présente-toi à tes camarades.**

●●●**12** **Un camarade vient se présenter avec une autre identité.**

Faites une carte d'invitation.

Carton d'invitation ou carte d'anniversaire ?

 **❶ Discutez en classe.**

Qui, dans la classe, a son anniversaire entre janvier et juin ? Quel jour ? À quelle date ?

 **❷ Formez deux groupes.**

a. Groupe 1 : vous avez votre anniversaire entre janvier et juin. Vous fêtez votre anniversaire ensemble, en classe !

1. Préparez un carton d'invitation commun. Aidez- vous de l'encadré « Des mots pour… ». N'oubliez pas d'indiquer le jour et le lieu de la fête.

2. Donnez-le aux copains, en classe.

3. Attendez la réponse.

> **Des mots pour…**
>
> ### Inviter quelqu'un à un anniversaire
>
> - Je t'invite / Nous t'invitons à mon / notre anniversaire…
> - On t' / vous attend pour faire la fête…
> - J'ai / Nous avons le plaisir de t' / vous inviter…
>
> ### Formules pour souhaiter un anniversaire
>
> - Bon anniversaire !
> - Joyeux anniversaire !
> - Nous vous souhaitons un bon / joyeux anniversaire !

---

b. Groupe 2 : votre anniversaire est après le mois de juin. Faites une carte d'anniversaire pour les camarades du groupe 1. Aidez-vous de l'encadré « Des mots pour… » pour souhaiter un anniversaire. Donnez la carte à vos camarades, en classe.

Répondre

 ❸ Le groupe 1 répond à la carte d'anniversaire puis prépare la fête.

Pour trouver des idées, consultez le site suivant.
http://www.boite-a-fete.com

 ❹ Chaque élève du groupe 2 écrit la réponse au carton d'invitation ou téléphone pour donner la réponse.

> **Des mots pour…**
>
> ### Remercier
>
> - Merci pour la carte ! C'est sympa !
> - Un grand merci pour votre carte !
> - Super la carte, on adore !
>
> ### Accepter une invitation
>
> - C'est d'accord.
> - Merci pour l'invit' (invitation).
> - Super ! On vient.

Et maintenant faites la fête !

Fêtes de famille

Qu'est-ce que tu vois sur les photos ?

 **Imaginez un Noël « pas comme les autres ».**

Leçon 1
- Tu présentes ta famille.

Leçon 2
- Tu parles de tes projets pour Noël.

Leçon 3
- Tu poses des questions sur un objet.
- Tu décris un objet.

Leçon 1 — Photos de famille

Mamie vient à Noël

 1 **Écoute le dialogue.**

a. Trouve Dora et Samy sur l'image.

b. Trouve la grand-mère de Samy sur l'image. Où est-ce qu'elle habite ? Quand est-ce qu'elle vient ?

 2 **Lis le dialogue et réponds.**
Qui est *lui* ? Qui est *elle* ? Observe
le tableau des pronoms toniques et fait
des phrases comme dans le dialogue.

Camille : Et **lui**, c'est ton père ?
Samy : Oui, et **elle**, c'est ma mère.

Comment ça marche ?

Les pronoms toniques

moi, je	**nous,** nous
toi, tu	**vous,** vous
lui, il	**eux,** ils
elle, elle	**elles,** elles

↪ p. 82

 3 **Apporte et présente des photos de**
tes artistes préférés à tes camarades.

Eux, c'est les Daft Punk et lui, c'est Thomas Bangalter à 15 ans.

Dialogue 1

Camille : C'est qui, le bébé ?
Samy : C'est mon petit frère, Rayan.
Camille : Et la fille, c'est ta sœur ?
Samy : Oui. Elle s'appelle Dora.
Camille : Elle est sympa ?
Samy : Euh, bof ! On se dispute toujours !
Camille : Et lui, c'est ton père ?
Samy : Oui, et elle, c'est ma mère, Valérie…
Camille : Et cette dame, là, c'est qui ?
Samy : C'est ma grand-mère Leïla, la maman de mon père. Elle vient pour Noël.
Camille : Elle habite où ?
Samy : À Oran, en Algérie.

Des mots pour...

Poser des questions sur...

- … quelqu'un
  C'est **qui** ?
  Qui est ton prof de maths ?

- … un endroit
  Elle habite **où** ?
  Où est ton livre de français ?

- … un moment
  Elle arrive **quand** ?
  C'est **quand** ton anniversaire ?

Les vacances de Papi et Mamie !

 4 **Regarde l'image et trouve les personnages.**

a. Trouve Camille. Elle a 12 ans et elle est blonde.

b. Montre aussi son grand-père, sa grand-mère, son père, sa mère et sa sœur.

 5 **Écoute le dialogue et réponds oralement aux questions.**

a. Le grand-père et la grand-mère de Camille habitent…
- à Lyon.
- en Guadeloupe.

b. Ils…
- viennent à Noël.
- ne viennent pas à Noël.

c. La mère de Camille est…
- contente.
- furieuse.

6 **Observe le tableau des adjectifs possessifs et complète la phrase de Samy dans ton cahier.**

(…) sœur s'appelle Dora, (…) amie s'appelle Camille et (…) chien, c'est Kleps.

> **Comment ça marche ?**
>
> **Les adjectifs possessifs**
>
> | masculin singulier | **mon** père | **ton** père | **son** père |
> |---|---|---|---|
> | féminin singulier | **ma** mère | **ta** mère | **sa** mère |
> | masculin et féminin pluriel | **mes** parents | **tes** parents | **ses** parents |

Attention !
Devant une voyelle
mon amie
ton école

p. 82

7 **Photomontage ! Présente ta famille imaginaire pour le journal de la classe.**

Moi — Ma mère — Mon père — Mon frère — Mon chien — Mon grand-père

Leçon 2 — Noël et compagnie

Ah, les fêtes de famille !

1 Qu'est-ce qu'ils vont faire pour les fêtes ? Associe les phrases aux dessins.

a.

b.

1. On va bien manger !

2. On va décorer le sapin avec ma tante, j'adore !

3. Je vais avoir beaucoup de cadeaux !

c.

d.

4. Je vais m'ennuyer !

5. Mes cousins de Marseille vont venir à la maison, l'horreur !

6. Mes grands-parents vont passer les fêtes aux Antilles !

7. Nous allons faire du ski à Chamonix avec toute la famille !

g.

f.

e.

2 Écoute la correction.

3 Et toi, qu'est-ce que tu vas faire pour les fêtes ? Tu vas partir en vacances ?

Encore la famille !

5 Associe les définitions aux noms.

a. Le frère de ma mère, le mari de ma tante.
b. La sœur de ma mère, la femme de mon oncle.
c. Le fils de mon oncle et de ma tante.
d. La fille de mon oncle et de ma tante.

1. ma tante
2. ma cousine
3. mon oncle
4. mon cousin

4 Les questions de l'activité 3 sont au futur proche. Observe sa construction et compare avec ta langue.

Comment ça marche ?

Le futur proche

aller + infinitif
Je **vais voir** ma cousine Julia à Noël !

p. 83

6 Invente des définitions comme dans l'activité précédente. Tes camarades devinent le nom.

– Le père de mon père ?   – Ton grand-père.

Cadeaux de Noël

En France, c'est à Noël qu'on a des cadeaux ! Beaucoup de cadeaux !

 7 **Regarde les deux situations. Tu es d'accord avec la mère?**

> Oh zut, je n'ai pas de cadeau pour ma mère !

> Le n'est pas possible ! Ces enfants ont trop de cadeaux !

 8 **Sondage. Tes camarades et toi, vous avez beaucoup de cadeaux à Noël ? Vous achetez un cadeau pour votre père, votre mère ? Faites une enquête dans la classe.**

a. Recopie cette fiche et interroge quatre élèves.

> **Prénom :**
> Il/Elle…
> - a un cadeau et plus.
> - n'achète pas de cadeau à son père.
> - achète 1 cadeau à sa mère.
> - a dix cadeaux et plus.
> - n'achète pas de cadeau à sa mère.

b. Comptez et commentez les résultats des fiches.

 Comment ça marche ?

La quantité

Tu as **combien de** cadeaux ?

Pas de cadeau

Peu de cadeaux

Beaucoup de cadeaux !

Trop de cadeaux !

p. 83

Le [ʃ] d'*acheter* et le [ʒ] de *manger*

 9 **Lève la main quand tu entends le [ʒ].**

 10 **Écoute et répète de plus en plus vite, puis chante comme un chant de Noël.**

> ●●● Virelangue
>
> Un jeune chat jaune achète du chou rouge pour son chaton.

Leçon 3 — Beaucoup de cadeaux !

Idées cadeaux

 1 Regarde la page Web. Tu trouves les cadeaux sympas ?

Le site des parents de jeunes de 11 à 20 ans
Noël arrive : **ID Kdo** *pour les ados !*

1. Le bracelet top !
Un très joli bracelet pour jeune fille.

2. Rayman et les lapins crétins. Jeu vidéo rigolo !

3. Le réveil-casque.
Il te réveille le matin pour aller au collège !

4. La guitare rock.
Pour jouer de la guitare avec les copains.

5. La veste sweat de tes rêves.
Super mode !

6. Le sac rétro Rolling Stones.
Pour un look très rock !

7. Les baskets mode !

8. Le kit « observer les oiseaux ».
Pour les fanatiques de la nature !

9. Le kit « beauté pyjama party ».
Entre copines !

---

 2 Écoute le dialogue entre la mère et la sœur de Samy.

a. Dora choisit 3 objets. Montre-les sur la page. Qu'est-ce qu'elle veut ?

b. Quelle est la réaction de sa mère ?

 3 Et toi, quels cadeaux du site tu voudrais pour Noël ?

Je voudrais le kit « beauté pyjama party ».

Comment ça marche ?

Vouloir	
Je	**veux**
Tu	**veux**
Il/Elle	**veut**
Nous	**voulons**
Vous	**voulez**
Ils/Elles	**veulent**

p. 87

Qu'est-ce que tu veux ?
Qu'est-ce que tu voudrais ?
Je veux…, Je voudrais…

Kdos mode

Les vêtements aussi sont de très bonnes idées de cadeaux.

 4 Dans ton cahier, fais la liste des vêtements que tu voudrais pour Noël ; indique la couleur.

Je voudrais... des baskets roses, …

Les couleurs

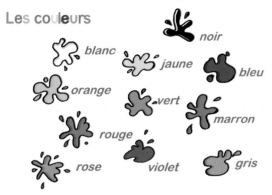

noir
blanc
jaune
bleu
orange
vert
marron
rouge
rose
violet
gris

Un blouson

Une jupe

Un t-shirt

Des chaussures

Une robe

Un sweat-shirt

Un jean

Des baskets

Qui achète quoi ?

 5 Regarde les deux dessins et écoute. De qui ils parlent ? Qui est *nous, eux, lui* et *elle* ? Qu'est-ce que veulent les enfants ? les parents ?

> **Nous, nous** allons avoir des cadeaux et **eux, ils** vont acheter les cadeaux !

> **Toi, tu** veux des baskets Mike.
> **Lui, il** va avoir un os en plastique.
> **Elle, elle** veut une jupe en jean.
> **Et moi ? Moi,** je voudrais une montre !

 6 Et dans ta famille, qui achète les cadeaux ? Qui veut quoi ? Qui va avoir quoi ?

Qu'est-ce que c'est ?

 7 Jeu. Devine ton cadeau. Ton / Ta camarade pense à un cadeau pour toi. Pose des questions pour deviner.

- *C'est rond ?*
- *C'est rectangulaire.*
- *C'est en tissu ?*
- *Oui.*
- *C'est rouge, bleu ?*
- *Jaune, ta couleur préférée.*
- *C'est un t-shirt ?*
- *Oui !!!*

Des mots pour...

Décrire des objets

- C'est (rond) | rectangulaire | carré

- C'est en | **tissu** | **métal** | **plastique**

- C'est … | **marron** | **jaune** | **noir**

- C'est un [t-shirt] t-shirt
  article + nom

Les fêtes de fin d'année

Joyeux Noël !

1 Regarde les photos de Noël et lis les informations.

La bûche de Noël

Le champagne

La dinde aux marrons

Le père Noël

Le sapin de Noël

Les cadeaux

À Noël, en France, il y a toute la famille. On mange, on boit. On ouvre les cadeaux. On se dit : Joyeux Noël !

2 Et dans ton pays, qu'est-ce qu'on mange à Noël ? Qu'est-ce qu'on dit ?

Bonne année !

3 Lis le texte de la photo. Et chez toi ? Qu'est-ce qu'on fait ? Qu'est-ce qu'on dit pour la nouvelle année ?

Il y a beaucoup de gens.
Il y a des feux d'artifice.
On danse, on rit.
On dit : *Bonne année !*

Noël sous les tropiques

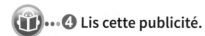···④ Lis cette publicité.

**Venez passer Noël en famille,
sous le soleil des Antilles...**

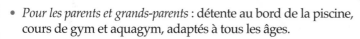

**... au village du club Ned *Les Colibris*,
en Guadeloupe**

*Prix spécial familles pour les vacances de Noël.
Réductions enfants et adolescents !
Gratuit pour les moins de 4 ans !*

- *Pour les parents et grands-parents* : détente au bord de la piscine, cours de gym et aquagym, adaptés à tous les âges.

- *Pour les parents sportifs* : cours de sports aquatiques, randonnées à pied, à cheval ou à vélo !

- *Pour les enfants* :

  - *Mini Colibris* (enfants de 4 à 10 ans) : activités sportives et ludiques avec des moniteurs, toute la journée.
  - *Junior Colibris* (jeunes de 10 à 17 ans) : découverte des sports nautiques de l'île de la Guadeloupe (surf, plongée, kitesurf, snorkeling, etc.), randonnées VTT, soirées entre ados dans la discothèque *Junior*…Vous dansez avec les jeunes de l'île !

Le soir, toute la famille se retrouve au bar ou au restaurant self-service et peut fêter Noël en famille !

···⑤ Réponds aux questions.

a. Le village *Les Colibris* du club Ned propose :
- des vacances pour les personnes âgées seulement.
- des vacances pour toute la famille.

b. Où se trouve le village du Club Ned *Les Colibris* ?
- Aux Antilles.
- En Afrique.

c. Pendant que les parents se reposent, qu'est-ce que font les ados ?
- Ils s'occupent des enfants et des grands-parents.
- Ils font des cours de sports nautiques, des randonnées.
- Ils s'ennuient.

···⑥ Tu voudrais passer Noël au village *Les Colibris* avec ta famille ?

♪ Cherche sur Internet la chanson *Vive le vent*. Écoute et chante.

Bilan

GRAMMAIRE

Les pronoms toniques

 1 Complète sur ton cahier le texte avec des pronoms toniques.

Regarde ! (…), c'est mon père et (…) c'est ma mère.
(…) ce sont mes frères.
Et (…), tu as une grande famille ?

Le futur proche

 2 Mets le verbe entre parenthèses au futur proche.

a. Tu (*aller*) chez tes grands-parents pour les vacances ?

b. Mes copains (*venir*) pour ma fête d'anniversaire.

c. À Noël, je (*faire*) du ski.

d. Nous (*dîner*) au restaurant pour le nouvel an.

Le verbe *vouloir*

 3 Complète les phrases avec le verbe *vouloir* à la forme correcte. Écris sur ton cahier.

a. – Qu'est-ce que tu (…) pour Noël ?
– Je (…) le dernier album de Pharrell Williams.

b. Mes enfants (…) aller à Disneyland pour les fêtes.

La quantité

 4 Complète sur ton cahier la phrase avec *pas de*, *peu de* et *beaucoup de*.

Zoé a (…) pantalons, (…) tee-shirts et n'a (…) robes.

Les adjectifs possessifs

 5 Écris le bon adjectif possessif sur ton cahier.

a. Tu aimes *t'* / *ton* / *ta* école ?

b. J'adore *mes* / *mon* / *ma* parents.

c. C'est *mon* / *ma* / *mes* chien Nino.

d. C'est *ma* / *mon* / *mes* amie. Elle s'appelle Anne.

VOCABULAIRE

Les couleurs

 6 Associe la couleur avec le bon mot.

a. rouge	**1.** le sapin de Noël
b. vert	**2.** la neige
c. blanc	**3.** l'habit du père Noël
d. jaune	**4.** le soleil

 7 Complète la phrase avec les mots suivants : *cadeaux, bûche, champagne, sapin, dinde*. Écris sur ton cahier.

En France, à Noël, on boit du (…) et on mange de la (…) aux marrons. Au dessert, on mange la (…) de Noël. On met les (…) sous le (…).

PHONÉTIQUE

Les sons [ʒ] et [ʃ]

 8 Recopie le tableau. Écoute et coche le son.

	a.	b.	c.	d.	e.
[ʒ]					
[ʃ]					

COMMUNICATION

Présenter sa famille

 9 Écoute le dialogue et regarde l'image. De qui parlent Yassine et Lola ?

 10 Présente et décris la famille.

Parler de ses projets

 11 Qu'est-ce que tu vas faire après Noël ? Échange avec un(e) camarade.

Utilise le futur proche : *aller* + infinitif.

Demander un cadeau

 12 Écris ta liste de cadeaux sur ton cahier.

Je veux des baskets.

 13 À qui tu vas demander tes cadeaux ? Joue la scène avec un(e) camarade.

Qu'est-ce que tu veux comme cadeau ?
Je voudrais, je veux…

Décrire un objet

 **14** Regarde les 4 personnages. Pense à un cadeau pour eux. Tes camarades devinent.

C'est grand, petit, rond, carré ?
C'est rouge, jaune, etc.?
C'est en métal, en tissu, en plastique ?

Projet

Imaginez un Noël « pas comme les autres ».

Choix d'une destination

···**1** Regarde les photos et choisis quatre destinations exotiques.

Les Alpes

Les Antilles

La Réunion

Madagascar

Le Sénégal

Le Vietnam

Recherche d'informations

···**2** Divisez la classe en quatre groupes, selon les destinations. Chaque groupe cherche des informations sur le lieu choisi.

a. Lieux touristiques, activités possibles, hôtels, etc.

b. Photos.

Qui vient ?

···**3** Chaque groupe choisit quel(s) membre(s) de sa famille va(vont) participer au voyage.

···**4** Chaque groupe choisit les activités que va faire chaque membre de la famille.

Présentation du projet

···**5** Chaque groupe présente son projet à la classe.

Des mots pour...

Parler de la famille
- les parents : le père et la mère
- les grands-parents : le grand-père et la grand-mère
- le frère, la sœur
- l'oncle et la tante
- les cousins : le cousin et la cousine

Parler d'activités sportives
- sports nautiques : surf, plongée, kitesurf, snorkeling
- randonnée
- sports d'hiver : ski de piste, ski de fond, raquettes, snowboard, etc.

Loisirs jeunes

Qu'est-ce que tu vois sur les photos ?

 **Projet**   **Faites le blog de votre activité préférée.**

Leçon 1

- Tu parles de tes loisirs.

Leçon 2

- Tu donnes et tu reçois des instructions.
- Tu parles de ton corps.

Leçon 3

- Tu exprimes des sensations.
- Tu donnes des conseils.

Qu'est-ce qu'on fait ?

Les loisirs : ils adorent !

 1 Observe les dessins et donne les bons numéros. Qui fait…

a. …des sports d'équipe (*football, handball, basket-ball,* etc.) ?

b. …des sports de combat (*karaté, judo, escrime, boxe,* etc.) ?

c. …des sports nautiques (*voile, natation, canoë-kayak,* etc.) ?

d. …de la musique (*piano, guitare, violon, clarinette,* etc.) ?

e. …du théâtre ?

 2 Écoute la correction et répète.

Mon temps libre

 3 Écoute ce dialogue entre un garçon et une fille.

a. Ils parlent de plusieurs activités. Montre-les sur le dessin page 46.

b. Qu'est-ce que fait la fille ? Qu'est-ce que fait le garçon ? Qu'est-ce qu'il ne fait pas ?

 4 Observe les phrases avec le verbe *faire* et réponds.

a. Le mot qui suit *du* est masculin ou féminin ?

b. *Du*, c'est *de* + (...) ? Et *des* ?

Comment ça marche ?

Faire de + activité		
Je fais	**du**	basket.
Tu fais	**de la**	natation.
Il/Elle/On fait	**des**	claquettes.
Nous faisons	**de l'**	athlétisme.
Vous faites	**du**	piano.
Ils/Elles font	**de la**	voile.

p. 81

 5 Quelles activités tu fais pendant ton temps libre ? Écris dans ton cahier.

Je fais...

Jeu de mime

 6 Avec un(e) camarade, mime un sport ou un loisir. Tes camarades devinent.

Du basket, vous faites du basket !

Les sons [ɔ̃] et [ɑ̃]

 7 Écoute la chanson.

Qu'est-ce qu'ils font
Là-dedans ?
De la natation
mais non pas seulement.

Qu'est-ce qu'ils font
là-dedans ?
Ils jouent au ballon
avec des harengs !

 8 Écris d'autres mots avec le son [ɔ̃] dans ton cahier et compare avec la classe.

Comment on fait ?

On fait comme ça !

 1 Regarde les images puis retrouve l'ordre des instructions.

Situation 1 : un cours de tennis

a. Maintenant plie le bras droit, la raquette devant les yeux. Place la balle sous ta raquette.

b. Un, deux, trois ! Recommence !

c. Prends la balle dans ta main gauche, la raquette dans ta main droite.

d. Oui, mais lève le coude droit. À hauteur de ton épaule. Comme ça, oui !

 2 Écoute la correction.

 3 Tu aimes faire des acrobaties ? Écoute ce cours collectif pour faire un salto arrière sur un mur et mets les quatre images dans l'ordre.

Situation 2 : un cours d'acrobatie

a. Courez vers un mur, les bras en arrière.

b. Posez le pied gauche sur le mur, baissez la tête et levez les bras : vous commencez la rotation.

c. Sautez les jambes en l'air, vous regardez le sol.

d. Vous atterrissez avec le pied droit, puis vous posez le pied gauche sur le sol.

Attention, entraînez-vous avec un moniteur !

Un corps en forme

les yeux
l'oreille
la bouche
le nez
le bras
la main
la jambe
le pied

4 Quels mots du corps on trouve dans les deux cours de la page 48 ?

5 Dans ton cahier, associe les verbes aux parties du corps.

a. prendre
b. courir
c. voir
d. manger
e. écouter

1. les yeux
2. les oreilles
3. la bouche
4. les mains
5. les jambes

6 Mime différentes actions avec les verbes de la liste. Tes camarades devinent ce que tu fais.

courir, plier, sauter, prendre.

7 Observe le tableau de l'impératif et réponds.

a. Quel est l'infinitif des verbes ?

b. Compare l'impératif avec le présent de l'indicatif.

8 Cherche d'autres impératifs dans le livre. Écris la liste dans ton cahier.

Comment ça marche ?

L'impératif
Lève le bras !
Prends la balle !
Levons les bras !
Partez !
Courez vers le mur !

p. 83

Des mots pour...

Parler des mouvements
• en haut / en l'air
• en arrière
• en avant
• en bas / par terre

9 Vérifie que tu comprends les mouvements précédents. Mets tes mains en l'air, puis en arrière, puis en avant.

10 Jeu : le robot. Tu donnes des instructions à ton nouveau robot : un(e) camarade. Il fonctionne bien ?

Lève la main ! Lance la balle ! Saute, les bras en avant !

POSE TA MAIN SUR LA TÊTE.

Leçon 3 — J'ai mal !

Homo televisus 2016

 1 Observe l'*homo televisus,* alias Théo. Écris les mots qui manquent dans ton cahier.
Puis réponds aux questions.

a. Qu'est-ce que fait Théo ?

- Il joue du violon.
- Il regarde la télevision.

b. Comment il se sent ?

- Il se sent en forme.
- Il ne se sent pas en forme.

 2 Cherche trois objets importants de Théo : son téléphone portable, son Ipad et sa manette de jeu. Où est-ce qu'ils sont ?
Réponds avec : *sur, sous, devant.*

Je ne me sens pas bien !

 3 Écoute le dialogue 1 et réponds.

a. Qui parle ?
- Un ado et sa mère.
- Un docteur et son patient.

b. Théo a mal…
- à la tête, au ventre et aux yeux.
- à la tête, au pied et aux oreilles.

c. C'est parce qu'…
- il fait trop de sport.
- il regarde trop la télévision.

Il joue **au** football, **au** basket, **aux** jeux vidéo.
Il joue **du** piano, **de la** guitare.

 5 Observe le tableau et réponds.

$au = à + le$ $aux = à + (…)$

Comment ça marche ?

Avoir mal à + partie du corps
Le ventre ➜ J'ai mal **au** ventre.
La tête ➜ J'ai mal **à la** tête.
Les oreilles ➜ J'ai mal **aux** oreilles.

↪ p. 81

Des mots pour…

Donner des conseils
Il faut + infinitif **Il faut manger** des fruits tous les jours.

Comment ça marche ?

La cause
Pourquoi il a mal au ventre ? **Parce qu'il** mange trop de chips.
Pourquoi il est gros ? **Parce qu'il** ne fait pas de sport.

↪ p. 85

 4 Écoute le dialogue 2 et réponds.

a. Qui parle ?
- Un ado et sa mère.
- Un docteur et son patient.

b. Théo a mal…
- à la tête et au ventre.
- à la main et au poignet

c. C'est parce qu'…
- il joue du violon.
- il joue aux jeux vidéo.

d. Les conseils du docteur :
- Il faut continuer à jouer aux jeux vidéo.
- Il faut arrêter de jouer aux jeux vidéo.

 6 Ton camarade n'est pas en forme. Donne des conseils.

Il faut dormir plus !
Il faut faire du sport !

Mon pantalon est trop petit !

Il faut arrêter de manger du chocolat et des gâteaux !

La capoeira

Salut, moi c'est Alban, alias *Jogador*.
Je fais de la capoeira à Rennes
depuis l'âge de 12 ans.
C'est beaucoup plus qu'un loisir,
c'est ma passion !

Bonne visite à tous !

La capoeira est un art martial, une technique
de combat. Elle se base sur des coups de
pieds, des esquives et des mouvements
acrobatiques.
Mais on fait les mouvements et les combats
sur des rythmes et des chants brésiliens !
J'adore !
Dans mon club, à Rennes, il y a des cours
pour ados (11-16 ans). On est entre nous,
on s'amuse ! VENEZ !

Cliquez ici pour voir toutes les diapos du club !

ajouter un message - 25 commentaires - partager ❯❯

écrire un message — faire un cadeau — ajouter à mes amis

Vous aimez les acrobaties, le breakdance ?
Vous aimez les sports de combat ?
Vous aimez les arts martiaux ?
Vous aimez la danse, le rythme ?
Alors vous allez aimer la capoeira et vous
allez découvrir le Brésil !

Regardez cette démonstration
pendant le festival des Arts Martiaux !

ajouter un message - 80 commentaires - partager ❯❯

❶ Quel est le sport préféré d'Alban ?

❷ Tu connais ce sport ?

❸ Est-ce que tu fais un sport
semblable ?

❹ Est-ce qu'on fait ce sport dans
ta ville ?

Découvre le badminton !

CLUB NATIONAL DE BADMINTON

Le badminton est un sport de raquette, pas cher, amusant et physique ! On peut jouer toute l'année entre amis ou en famille à l'extérieur (à la plage, dans un parc ou dans un jardin) ou à l'intérieur (dans une salle de gymnase).

Le badminton est un loisir mais pour certains passionnés, il se pratique en équipe et en compétition.

Pour jouer, il faut une tenue de sport, une raquette, un volant et un filet. C'est tout !

➡ Pour plus d'informations, écris à info@clubadminton.fr

L'origine du badminton
Aujourd'hui le badminton est très à la mode, mais c'est un sport très ancien. Il date de l'Antiquité ! Son nom est plus récent. Il date de 1873. C'est un nom anglais.

Badminton... Forum des champions !

Aller à la page **1** – 2 – 3

	Pierre 12 ans Collège Fontenelle, Rouen	*Salut ! Tu es fan de badminton ? Alors viens jouer avec moi au club national !* ☺
	Chloé 13 ans Collège Carnot, Lille	*Je joue au badminton depuis 4 ans, c'est génial ! Tu veux jouer chaque semaine et faire des compétitions ? Écris au club !*

❺ Donne quelques caractéristiques de ce sport.

❻ Où tu peux jouer au badminton ?

❼ Est-ce que le badminton est un sport récent ? Depuis quand il existe ?

❽ Est-ce que ce sport est à la mode dans ton pays ?

♪ Cherche sur Internet la chanson *Tamalou* de Françoise Hardy. Écoute et chante.

Bilan

GRAMMAIRE

Les articles contractés

 1 **Recopie les phrases sur ton cahier et complète avec les articles de la liste :**

du – de la – des – au – aux

> • • •
>
> Je fais (…) vélo et je joue (…) handball. Mon frère, lui, il fait (…) gymnastique et (…) saxophone. Ma sœur fait (…) claquettes et (…) clarinette. Quand elle revient (…) cours de claquettes, elle a mal (…) pieds ! et quand elle joue (…) clarinette, nous, on a mal (…) oreilles !

Les verbes *faire*

 2 **Recopie et complète avec les verbes de la liste :**

faisons – il faut – vais – allez – va

> • • •
>
> Demain je (…) au cours d'acrobatie. On (…) apprendre à faire un saut avant. (…) aussi apprendre à tomber de côté. Nous (…) beaucoup de progrès avec ce cours ! Vous (…) vous amuser !

 3 **Mets les verbes entre parenthèses à l'impératif.**

Le professeur donne un cours de tennis à Clément.

a. (*Prendre*) ta raquette !

b. (*Plier*) le bras !

c. (*Lancer*) la balle !

d. Très bien, (*recommencer*) !

VOCABULAIRE

 4 **Où ils ont mal ? Écris les réponses sur ton cahier.**

Il/Elle a mal à …

a. Il danse toute la nuit.

b. Il mange trop.

c. Elle écoute la musique très fort.

d. Elle marche 25 km par jour.

 5 **Dans ton cahier, associe les types d'activités aux activités.**

a. sport de combat   **1.** piano

b. musique   **2.** voile

c. sport d'équipe   **3.** karaté

d. sport nautique   **4.** handball

 6 **Lis les phrases et écris la bonne réponse dans ton cahier.**

a. On écrit avec la *main / jambe*.

b. On regarde avec les *oreilles / yeux*.

c. On écoute avec les *oreilles / bras*.

d. On marche avec les *pieds et les jambes / bras et les mains*.

PHONÉTIQUE

Les sons [ɔ̃] et [ɑ̃]

 7 **Recopie le tableau. Écoute et coche le son.**

	a.	b.	c.	d.	e.	f.	g.
[ɔ̃]							
[ɑ̃]							

COMMUNICATION

Parler de ses loisirs

 Regarde les images de ces 3 personnages et imagine leurs loisirs.

a.

b.

c.

*Il/Elle fait
du sport, du théâtre,
de la musique...*

Donner des conseils, des instructions

 Écoute ces instructions du salto et écris-les dans l'ordre dans ton cahier.

Cherchez le sol.
Baissez la tête et levez les bras.
Atterrissez sur un pied.
Sautez et commencez la rotation.

 Donne trois conseils pour bien apprendre ta leçon de français ou des instructions pour faire un avion en papier.

Exprimer des sensations

 Réagis à ces situations avec une phrase.

a. Tu manges une énorme glace à la fin d'un gros repas et après tu dis….

b. Tu cours pendant 3 heures et après tu dis….

c. Tu commences un cours de gym et tu dis….

*Je me sens bien/mal.
Je suis en forme.
J'ai mal à...*

Projet

Faites le blog de votre activité préférée.

Sondage

 ① Quelles activités extrascolaires font les élèves de la classe ? Faites un sondage.

 ② Écrivez les réponses au tableau par catégories.

Ensuite, les élèves font des groupes selon leurs activités (un groupe par catégorie d'activité).

> **Des mots pour...**
>
> **Classer les activités extrascolaires par catégorie**
>
> - sports d'équipe : football, handball, basket-ball, etc.
> - sports de combat : karaté, judo, escrime, etc.
> - sports nautiques : natation, voile, plongée, canoë-kayak, etc.
> - musique : violon, piano, guitare, chant, etc.
> - théâtre
> - cirque

Préparation du blog

 ③ Chaque groupe choisit une activité à l'intérieur de la catégorie.

Nous choisissons le football.

 **④** Chaque groupe rédige une petite description de l'activité.

On joue avec un ballon. Il y a 11 joueurs dans une équipe.

Choix des images

 ⑤ Chaque élève de chaque groupe apporte des photos ou des vidéos de ses exploits et commente.

Création du blog

 ⑥ Chaque groupe crée un blog en français sur l'activité.

Présentation du blog

 ⑦ Regarde les blogs de tes camarades et écris des commentaires !

 ⑧ Lis les commentaires de tes camarades sur ton blog !

La ville

Qu'est-ce que tu vois sur les photos ?

 **Projet** **Parlez de votre ville sur un blog.**

Leçon 1

- Tu parles des lieux de la ville.
- Tu situes dans l'espace.

Leçon 2

- Tu comprends un itinéraire.
- Tu indiques un chemin, une direction.

Leçon 3

- Tu demandes ton chemin.
- Tu parles des moyens de transport.

Leçon 1  Une autre ville

Bienvenue à Adopolis !

1 Observe le dessin. Vrai ou faux ?

À Adopolis, …

a. … il y a deux arrêts de bus.

b. … il n'y a pas de boulangerie.

c. … il n'y a pas de centre commercial.

d. … il y a une pharmacie.

e. … il y a trois cinémas.

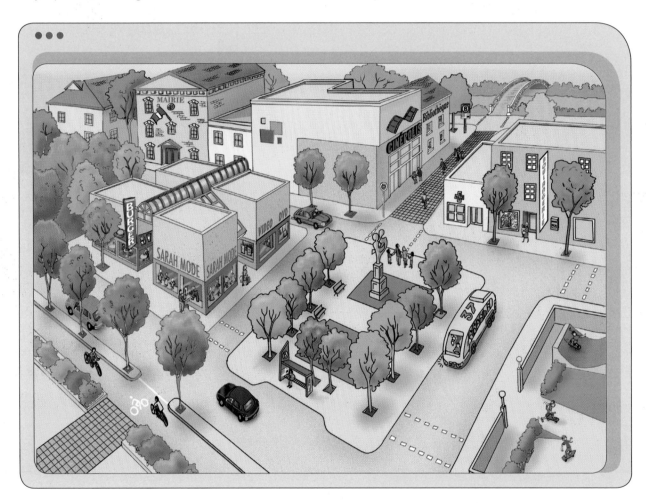

2 Dans ton quartier, qu'est-ce qu'*il y a* ?
Qu'est-ce qu'*il n'y a pas* ?

Il y a des boulangeries.
Il n'y a pas de cinéma,
d'arrêt de bus.

3 Réponds dans ton cahier.

Pour prendre le bus, on va à l'arrêt.

a. Pour acheter un croissant, on va à la (…).

b. Pour voir un bon film, on va (…).

c. Pour boire un soda, on va (…).

d. Pour trouver un livre, on va à la (…).

Faire les magasins

 4 Regarde la vitrine du magasin et complète les phrases oralement grâce au tableau sur la localisation.

Coraline est **entre** *Alice au pays des merveilles* et *Planète 51.*

a. *Astérix aux Jeux olympiques* est (…) *Schrek 4.*

b. *Avatar* est (…) *Toy Story 3.*

c. *Transformers 2* est (...) *Planète 51.*

d. *Alice au pays des merveilles* est (...) *Toy Story 3.*

Notre sélection ciné et jeux

 5 Est-ce que tu aimes les promenades en ville ? Faire les magasins ?

Où se trouve... ?

 6 Écoute les trois dialogues. Où vont Jérémie, Océane et Hugo ?

7 Pose des devinettes sur Adopolis.

C'est **à droite** du cinéma ; il y a beaucoup de livres.

C'est la bibliothèque !

Comment ça marche ? La localisation

dans	à côté (de)

sur / sous	entre

devant / derrière	en face (de)

à gauche (de) / à droite (de)	au-dessus (de) / au-dessous (de)

p. 84

Leçon 2 Itinéraires

Rendez-vous chez-moi !

 1 Écoute le dialogue et mets les images dans l'ordre.

COLLÈGE ANDRÉ MALRAUX

16h55 – Fin du cours de géographie

La prof : N'oubliez pas vendredi les exposés de groupes !
Jonas : Comment on fait pour le travail ?
Lucie : Ben... venez chez moi.
Jonas : Quand ?
Lucie : Mercredi après-midi !

Lucas : D'accord. Tu habites où ?
Lucie : Dans le quartier de la Butte.
Lucas : La Butte ? Mais c'est loin !
Jonas : Non, c'est près du nouveau centre sportif.
Lucie : Prends le bus, c'est rapide !
Lucas : Bonne idée ! Quel numéro ?
Lucie : Le 69, direction Beaupuy, tu descends après la pharmacie. Après, pour aller chez moi, c'est facile... Je fais un plan ?

a.
b.
c.
d.

 2 Donne la bonne réponse.

a. Lucie habite…
- près du centre sportif.
- loin du centre sportif.

b. Avec qui Lucie va préparer l'exposé ?
- Lucas.
- Jonas et Lucas.

c. Ils vont faire le travail…
- mercredi après-midi.
- jeudi matin.

d. Pour aller chez Lucie, Lucas va prendre…
- le bus.
- le métro.

 3 Est-ce que tu fais des exposés au collège ? Dans quelles matières ?

 4 Lis le verbe *prendre*. À quelles personnes on trouve *prend-* ?

Comment ça marche ?

Prendre	
Je	**prends**
Tu	**prends**
Il/Elle/On	**prend**
Nous	**prenons**
Vous	**prenez**
Ils/Elles	**prennent**

 p. 87

 5 Cherche les mots interrogatifs du dialogue. Écris dans ton cahier.

Comment…

Pour aller chez Lucie...

 6 Lucie fait un plan. Écoute ses indications et trouve où elle habite.

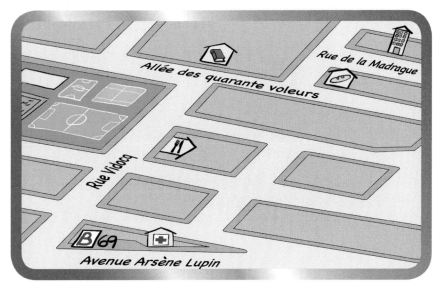

Des mots pour...

Indiquer un chemin, une direction

Tu prends la première, deuxième... rue.

Tu passes devant / derrière la pharmacie.

Tu vas tout droit.

Tu tournes à gauche / à droite.

7 Choisis une adresse sur le plan. Guide ton/ta camarade depuis l'arrêt de bus.

Le [b] de *bile* et le [v] de *ville*

 8 En français, on prononce différemment le *b* et le *v*. Écoute et répète.

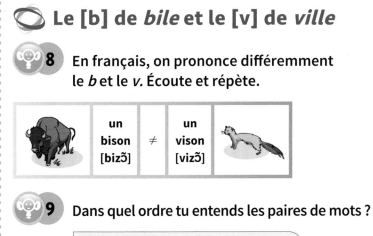

| | un bison [bizɔ̃] | ≠ | un vison [vizɔ̃] | |

9 Dans quel ordre tu entends les paires de mots ?

bague ❷   **v**ague ❶
cu**b**e   cu**v**e
boire   **v**oir
bâche   **v**ache
bile   **v**ille
beau   **v**eau
banc   **v**ent

10 Écoute et répète.

••• Virelangue

Voir les beaux veaux baver à côté des vaches brunes qui broutent l'herbe verte, c'est beau !

Mouais. C'est vachement bien !

Leçon 3 Orientation et transports

18, rue de la Madrague

 1 Énigme. Six familles habitent au 18, rue de la Madrague. Lis les indices et trouve qui habite à quel étage.

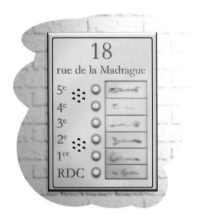

- Les **Dupond** habitent au 3e étage.
- L'appartement des **Dupont** est au-dessus de l'appartement des **Tremblay**, au dernier étage.
- Les **Bougon** habitent entre les **Jacquemin** et les **Foissac**, la famille du rez-de-chaussée.

Perdu(e) ? Demande !

 2 Lucas demande son chemin. Associe les phrases aux dessins.

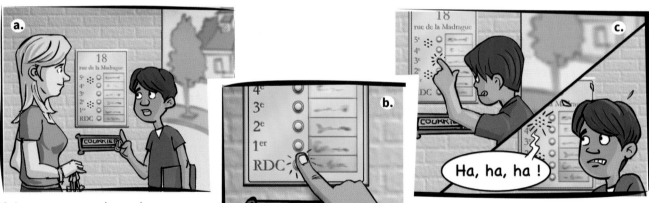

1. Lucas sonne au hasard. Un homme répond.

2. Lucas sonne au 3e étage.

3. Lucas est devant l'immeuble de Lucie. Il ne sait pas à quel étage elle habite. Il demande à une dame.

 3 Écoute et associe les dialogues aux dessins.

 4 Écoute et donne la bonne réponse.

a. Lucie habite…
- au 3e étage.
- au 5e étage.

b. Le nom de famille de Lucie est…
- Dupond.
- Bougon.

5 Demande poliment à un(e) camarade le chemin pour aller à la bibliothèque, à la cantine, à la salle informatique…

Moyens de transport

 6 Lis le tableau des moyens de transport.

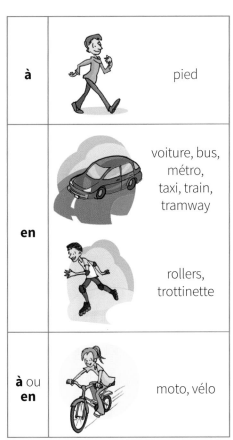

à		pied
en		voiture, bus, métro, taxi, train, tramway
		rollers, trottinette
à ou en		moto, vélo

Des mots pour…

Demander un chemin, un itinéraire

- S'il te / vous plaît, pour aller à…
- Pardon, tu peux / vous pouvez m'indiquer où se trouve…
- Excuse-moi / Excusez-moi, quel est le chemin pour aller à…

 7 Complète le texte dans ton cahier.

Ça roule !

En ville, des gens vont au travail (…) voiture ou (…) moto, d'autres préfèrent les transports en commun et vont au travail (…) bus ou (…) métro. On peut aussi aller au travail (…) pied, (…) vélo, (…) rollers ou (…) trottinette.

 8 Écoute et vérifie.

 9 Et toi, comment tu vas au collège ? … au sport ? … voir tes amis ?

On ne prononce pas tout

 10 Écoute et répète les mots. Quelles lettres on n'entend pas ?

- rue
- voiture
- gens
- grand
- lis

 11 Conjugue le verbe *habiter* au présent de l'indicatif.

a. Il y a cinq terminaisons différentes à l'écrit. Et à l'oral ?

b. Écoute et vérifie.

J'adore ma ville !

Parler de sa ville

...**1** Lis les messages publiés sur le forum.
Où habitent Logan, Ludivine et Lamine ?

Tu aimes ta ville et tu veux la faire connaître à des internautes du monde entier ?
Cet espace est pour toi. Parle de ta ville, de ton quartier…

- ○ Accueil
- ○ Forum
- ○ Photos
- ○ Bonnes adresses
- ○ Règlement
- ○ Questions
- ○ Liens
- ○ Contacts

Allo !
Je m'appelle Logan et j'habite à Montréal, au Québec (Canada). J'adore ma ville, elle est très dynamique et il y a beaucoup de choses à voir : le jardin botanique, le <u>stade</u> olympique ou encore le <u>quartier des affaires</u> avec ses gratte-ciels, comme à New York !
En avril, on va dans les cabanes à sucre : on récolte le <u>sirop d'érable</u>. C'est super bon !

Salut tout le monde !
Moi, c'est Ludivine et je suis belge. J'habite dans la capitale, Bruxelles, une ville fantastique. Le centre-ville est très sympa. Il y a la <u>Grand-place</u>, une merveille !
Il y a aussi le musée de la bande dessinée. Eh oui, <u>Tintin</u> est belge !
Et puis les Belges ont le sens de l'humour ! Tu connais le <u>Manneken-Pis</u> ? C'est une statue d'un petit garçon qui fait pipi… !!! ☺
Viens, tu vas aimer !

Nanga def !
Salut, je m'appelle Lamine. Je suis sénégalais et j'habite à Dakar, la capitale. À côté de Dakar, il y a l'<u>île de Gorée</u> avec un musée sur l'histoire de l'esclavage. Dans la ville, on peut voir des beaux bâtiments anciens. Mais Dakar est aussi une ville moderne, avec le gigantesque <u>monument de la Renaissance africaine</u>. Viens, tu vas voir, ma ville est super !!!

2 Associe les photos aux lieux cités par Logan, Ludivine et Lamine.

a.

b.

c.

d.

e.

f.

g.

h.

♪ Cherche sur Internet la chanson *À Paris* de Riff Cohen. Écoute et chante.

3 Quelle(s) ville(s) tu veux visiter ? Pourquoi ?

Bilan

GRAMMAIRE

Les prépositions *à* et *en*

 ① Complète les phrases avec les prépositions *à* ou *en* dans ton cahier.

a. Je vais à l'école (…) métro.

b. Alex va à la piscine (…) pied.

c. Les parents de Pauline vont au travail (…) voiture ou (…) bus.

d. Tu viens au gymnase(…) vélo ?

Le verbe *prendre*

 ② Conjugue le verbe *prendre* à la bonne personne. Écris sur ton cahier.

a. Tu (*prendre*) le tram ou le bus ?

b. Tes copains (*prendre*) le train pour aller au collège ?

c. Je (*prendre*) mon vélo samedi après-midi ?

d. Vous (*prendre*) la voiture pour partir en vacances ?

Il y a…, il n'y a pas…

 ③ Mets les phrases à la forme négative. Écris sur ton cahier.

Dans ma ville, il y a des magasins et des boulangeries. Il y a aussi un cinéma, une bibliothèque et des écoles.

 ④ Mets les phrases dans l'ordre. Écris sur ton cahier.

a. des / Dans / ville / il / cinémas. / ma / a / y

b. son / pas / Dans / il / quartier / y / n' / a / pharmacie. / de

La localisation

 ⑤ Transforme les mots en gras pour dire le contraire. Écris sur ton cahier.

a. Le téléphone est **sur** la table.

b. C'est la première rue **à gauche**.

c. La bibliothèque est **devant** l'école.

d. L'appartement de Léa est **au-dessus** de l'appartement de Baptiste.

VOCABULAIRE

Les lieux de la ville

 ⑥ Associe les mots des deux colonnes dans ton cahier.

a. la boulangerie   **1.** un film

b. la librairie   **2.** un bus

c. le cinéma   **3.** un élève

d. l'arrêt   **4.** un croissant

e. l'école   **5.** un livre

 ⑦ Trouve le moyen de transport. Écris les mots sur ton cahier.

a. _ R _ _ _ A Y   **c.** _ _ O _ _ I _ _ T T _

b. _ _ X _   **d.** _ _ A _ N

PHONÉTIQUE

Les sons [b] et [v]

 ⑧ Recopie le tableau. Écoute et coche le son.

	a.	b.	c.	d.	e.	f.	g.	h.	i.	j.
[b]										
[v]										

 ⑨ Écoute et entoure dans ton cahier les lettres qu'on n'entend pas.

pied – boulangerie – sous – croissant – prends – rue

COMMUNICATION

Situer dans l'espace

 ⑩ **Regarde la photo de groupe et situe les personnages.**

Judith est entre Paul et Laetitia.
à côté de
à gauche / droite de...

Suivre un itinéraire – Expliquer un chemin

 ⑪ **Tu es à l'office de tourime (*i*). Choisis un endroit du plan. Ton/Ta camarade t'explique comment aller à cet endroit.**

 ⑫ **Indique un chemin à ton/ta camarade. Il/Elle trouve où tu vas.**

Tourne à gauche/droite.
Continue tout droit.
Prends la première rue à gauche...

Projet

Parlez de votre ville sur un blog.

Formation des groupes

 ❶ Chaque élève dit quel quartier de la ville il/elle aime. Formez les groupes en fonction des quartiers choisis.

Préparation du projet

 ❷ Chaque groupe choisit les endroits du quartier qu'il veut présenter aux internautes et cherche des photos.

 ❸ Chaque groupe rédige son texte de présentation comme les textes de la page 64.

Création du blog

 ❹ Chaque groupe crée un blog sur sa ville.

Présentation du blog

 ❺ Chaque groupe lit les blogs de ses camarades et écrit des commentaires !

 ❻ Lisez les commentaires de vos camarades sur votre blog !

Des mots pour...

Présenter sa ville

- **adjectifs :** dynamique, fantastique, animé(e), sympathique, moderne/ancien(ne)…

- **monuments :** une église, une cathédrale, un théâtre, un musée, une statue…

- **lieux :** un parc, un jardin botanique, une place, un stade…

Unité 6

Une heure dans le monde

Qu'est-ce que tu vois sur les photos ?

 **Projet** **Présentez cinq pays à vos camarades.**

Leçon 1

- Tu dis l'heure qu'il est.
- Tu donnes ton emploi du temps.

Leçon 2

- Tu parles de la météo.
- Tu parles du pays où tu es.

Leçon 3

- Tu échanges avec des copains du monde.
- Tu parles des nationalités et des professions.

Leçon 1 — Quelle heure est-il ?

Le bus est en retard !

 1 Regarde le dessin. Combien de personnes attendent le bus ?

Josselin : Excusez-moi, madame, quelle heure est-il ?

La dame : Il est neuf heures et quart.

Josselin : Oh la la, et le bus n'arrive pas !

La dame : Oui, il est en retard.

Josselin : Normalement, il passe à neuf heures cinq.

La dame : Oui, dix minutes de retard, c'est beaucoup !

Josselin : Je vais arriver en retard à mon cours de (...).

La dame : Et moi, au travail !

Josselin : Vous travaillez le samedi ?

La dame : Eh oui ! Je suis (...) !

 2 Écoute le dialogue et retrouve sur le dessin les deux personnes qui parlent. Puis réponds.

a. Il est quelle heure ?

b. La dame est…   • vendeuse.   • coiffeuse.   • serveuse.

c. Le garçon va…   • au collège.   • à un cours de danse.

 3 Tu as une activité le samedi matin ? Commente avec un(e) camarade.

Le temps qui passe...

 4 Regarde les montres et écoute. Tu connais d'autres manières de dire l'heure ?

 a.   **b.**   **c.**   **d.**   **e.**

 f.    **g.**   **h.**   **i.**   **j.**

 70 soixante-dix

5 Écoute l'heure officielle. Pour chaque phrase, trouve l'endroit où on parle.

- à la radio.
- à la gare.
- au collège.

 6 Écoute et répète. Écris l'heure dans ton cahier.

 7 Jeu. Prends un papier dans chaque boîte et dis l'heure de deux façons possibles.

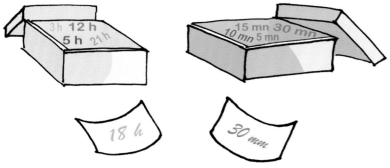

Il est 18 heures 30. / Il est six heures et demie.

Qu'est-ce que tu fais normalement à cette heure-là ?

 8 Écoute l'emploi du temps de Josselin le samedi et note les heures dans ton cahier.

Réveil à (…).
À (…), je prends ma douche et je m'habille.
À (…), je prends mon petit-déjeuner.
À (…), je pars en cours de breakdance.
À (…), je rentre à la maison et je déjeune en famille.
De (…) à (…) de l'après-midi, je regarde la télé.
De (…) à (…) du soir, je sors avec mes copains.
Je dîne à (…) du soir.
Je vais dormir à (…).

 9 Comme Josselin, donne ton emploi du temps du samedi.

Réveil à (…). À (…), je prends ma douche…

Des mots pour...

Dire l'heure

moins le quart

et quart

et demie

midi

minuit

 a ≠ à
*Il **a** 15 ans.*
*Je me lève **à** 5 heures.*

Leçon 2 # Quel temps fait-il ?

Décalage horaire

 1 Lis la première partie du tchat. Quel est le décalage horaire entre Curitiba (au Brésil) et Marseille (en France) ?

1.

👤 **Adèle99**
Salut Nelson, ça va ?

👤 **Nelson M.do Gantois**
Salut Adèle ! Tu vas à ton cours de capoeira?

👤 **Adèle99**
Non, ici, c'est la nuit !

👤 **Nelson M.do Gantois**
La nuit ? Quelle heure il est, chez vous, en France ?

👤 **Adèle99**
Il est 9 heures du soir, 21 h.

👤 **Nelson M.do Gantois**
Ici, il est 4 heures de l'après-midi. Je vais à une rencontre de capoeira à 17 h.

👤 **Adèle99**
Super ! Et il doit faire chaud, chez toi, non ?

2.

👤 **Nelson M.do Gantois**
Chaud ? Mais pas du tout, j'habite dans le sud.

👤 **Adèle99**
Ici, dans le sud, il fait chaud !

👤 **Nelson M.do Gantois**
Oui, mais chez nous, c'est l'hiver, et à Curitiba, dans le sud du Brésil, il fait froid !

👤 **Adèle99**
Il neige ?

👤 **Nelson M.do Gantois**
Non, il ne neige pas, mais il pleut !

👤 **Adèle99**
Chez nous, il fait chaud, c'est l'été ! Il y a du soleil...

👤 **Nelson M.do Gantois**
Eh oui, c'est l'été dans l'hémisphère nord, et l'hiver dans l'hémisphère sud. Bon, je te laisse, je me prépare pour la rencontre !

👤 **Adèle99**
Ok, amuse-toi bien ! Moi, je vais me coucher !

👤 **Nelson M.do Gantois**
Dors bien, alors ! À bientôt !

 2 Lis la deuxième partie du tchat et réponds.

a. C'est quelle saison à Curitiba ? Et chez Adèle ?

b. Dans quel hémisphère se trouve le Brésil ? Et la France ?

Des mots pour...

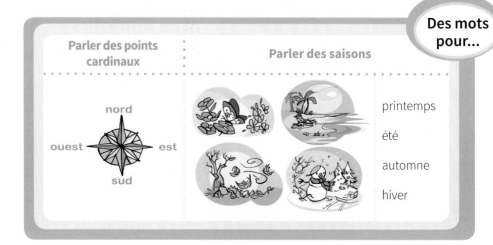

Parler des points cardinaux	Parler des saisons
nord, ouest, est, sud	printemps, été, automne, hiver

3 Observe les photos et l'heure. Quel est le décalage horaire entre chaque ville ?

7 h du matin.
À Bruxelles,
en Belgique.

Midi.
À Hanoï,
au Vietnam.

1 h du matin.
À New York,
aux États-Unis.

4 Lis le tableau et les légendes des photos. Réponds.

a. Quand le pays est féminin, on a *en*. Et quand le pays est masculin ?

b. Qu'est-ce qu'on a quand le pays est pluriel ?

Comment ça marche ?

Le pays où on est
La France ➜ Je suis **en** France.
Le Congo ➜ Je suis **au** Congo.
Les Comores ➜ Je suis **aux** Comores.

➥ pp. 83-84

 ou ≠ où
*Tu préfères le pull vert **ou** le pull jaune ?*
***Où** est-ce que tu habites ?*

Beau temps, mauvais temps !

5 Écoute la prévision météo sur *Radioado*.

a. Où est-ce qu'il va pleuvoir ? neiger ? faire beau ?

b. Attention, il y a une erreur sur le dessin. Retrouve-la !

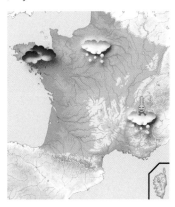

6 Quel temps il fait chez toi aujourd'hui ?

Pour toi, à 32 degrés centigrades (32 °C) il fait beau, chaud ou trop chaud ? Et à 32° Farenheit ?

Des mots pour...

Parler de la météo		
Il pleut.	*Il fait chaud.*	*Il fait beau, il y a du soleil.*
Il neige.	*Il fait froid.*	*Il y a des nuages.*

7 Jeu : il pleut, il mouille !

Pense à un endroit et à son climat, fais la liste des vêtements qu'il faut mettre pour cet endroit. La classe doit deviner le temps qu'il fait...

Il faut un blouson, des bottes, des skis !

Il neige !

Pendant ce temps-là...

Parents du monde

1 Écoute et retrouve…

a. … l'heure dans chaque pays.   **b.** … les parents de chaque jeune.

Adèle ne correspond pas seulement avec Nelson, elle a des copains dans le monde entier. Ce matin, elle parle avec 4 nouveaux copains.

Sarah : États-Unis

Anne : Belgique

Dan : Vietnam

Yoro : Sénégal

a.

b.

c.

d.

e.

f.

g.

D'où est-ce qu'ils/elles viennent ?

2 Observe le tableau des nationalités et écris les terminaisons dans ton cahier. Le féminin et le masculin sont parfois identiques. Dans quel cas ?

3 Retrouve et écris dans ton cahier le pays d'origine d'un *Mexicain*, d'un *Algérien*, d'un *Suisse* et d'un *Libanais*.

4 Dis le féminin de *libanais, américain, ivoirien, suisse*.

5 De quelle(s) nationalité(s) sont les élèves de ta classe ?

Comment ça marche ?

Les nationalités

pays	masculin	féminin
France	un Franç**ais**	une Franç**aise**
Maroc	un Maroc**ain**	une Maroc**aine**
Vietnam	un Vietnam**ien**	une Vietnam**ienne**
Belgique	un Belg**e**	une Belg**e**
Allemagne	un Allem**and**	une Allem**ande**

p. 81

Quelles sont leur profession ?

6 Regarde le tableau des professions.

a. Trouve le masculin de : *femme d'affaires, créatrice de mode, artiste, vendeuse, actrice, pharmacienne.*

b. Le féminin et le masculin sont parfois identiques. Dans quel cas ?

7 Mime une profession, tes camarades devinent.

Comment ça marche ?

Les professions

Il est…	Elle est…
journalist**e**	journalist**e**
coiff**eur**	coiff**euse**
avoca**t**	avoca**te**
music**ien**	music**ienne**
direct**eur**	direct**rice**
boulang**er**	boulang**ère**

p. 81

🌐 Le [œ] de *serveur* et le [Ø] de *serveuse*

8 Écoute et lève la main quand tu entends le son [œ].

9 Entraîne-toi avec le [œ].

● ● ● Virelangue

Le chauffeur affamé avale un œuf puis un bœuf couverts de beurre.

10 Entraîne-toi avec le [ø].

● ● ● Virelangue

Scro gneu gneu ! Le feu sous les bœufs me fatigue les deux yeux.

La vie d'artiste

Dure dure, la vie d'artiste !

…❶ Lis cette interview et réponds.

a. Pendant la période de répétitions, Laure travaille combien d'heures par jour ?

b. Elle dort combien d'heures ?

On croit souvent que le métier d'artiste, c'est facile…

Lis cette interview de Laure Favret, metteur en scène de théâtre pour la compagnie *Dard'art*.

Pour réaliser son travail, elle choisit d'abord une pièce de théâtre. Ensuite, elle coordonne une équipe de comédiens et de techniciens. Quand elle a son équipe, elle fait des répétitions avec les comédiens pendant 6 semaines. C'est le moment où il y a beaucoup de travail.

❓ À quelle heure tu te lèves le matin pendant la période des répétitions ?

À 6 heures, pour préparer mon travail et pour emmener ma fille à l'école, comme tout le monde !

❓ Tu travailles pendant combien de temps sans pause ?

4 heures.

❓ De quelle heure à quelle heure ?

Avec les comédiens, nous avons deux moments de répétitions dans la journée : l'après-midi, de 14 h à 18 h, et puis le soir de 20 h à minuit. Avec les techniciens, en plus des répétitions avec les comédiens, nous travaillons aussi le matin de 9 h à 13 h.

❓ À quelle heure tu vas au lit ?

Pas avant 2 heures du matin !

❓ Tu ne dors jamais, alors !

Avant un spectacle, très peu ! Mais j'adore créer des spectacles ! Donc, je ne sens pas la fatigue. Et quand le spectacle est monté, je me repose un peu. Et puis, il y a des périodes où il n'y a pas de travail…

…❷ Compare avec ton emploi du temps. C'est très différent ?

…❸ Est-ce que tu aimerais être artiste ? Pourquoi ?

Les artistes du cirque

**Grand spectacle
de cirque**
Du 5 au 10 mai
sur la place de la Comédie.
Spectacle à 19 h 30.
Des funambules, des clowns,
des animaux...
Venez nombreux.

Le funambule

Je travaille beaucoup :
6 heures par jour. Mais
je dors aussi beaucoup.
Je me couche à 22 heures
et je me lève à 7 h 30. Mais
les jours de spectacle, je me
couche tard, à minuit !
C'est un travail physique,
le corps a besoin de repos.
Il ne faut pas prendre de
risque. Pour m'entraîner, je travaille au sol
et sur le fil. Je n'ai pas peur sur le fil. J'adore
être dans les airs. La vue est belle
de tout en haut !

Le clown

Il existe plusieurs clowns. Le clown triste et l'Auguste. Le clown
triste a un maquillage blanc. Moi je suis l'Auguste. J'ai un nez
rouge et un maquillage rouge et noir. Je porte des vêtements de
toutes les couleurs et de grandes chaussures. C'est très difficile
d'être clown. Il faut beaucoup travailler. Je dois savoir jongler,
chanter, danser. Et surtout, je dois faire rire ! Je m'entraîne
tous les jours. Je travaille tout seul et aussi avec les autres
artistes. Et tous les soirs, c'est le spectacle.

4 Quels sont les métiers présentés ici ?

5 Pourquoi c'est difficile d'être un artiste de cirque ?

6 Qu'est-ce qu'on peut voir d'autre dans un cirque ?

♪ Cherche sur Internet
la chanson *La pluie et le beau temps*
de Zazie. Écoute et chante.

GRAMMAIRE

L'interrogation

 ① Retrouve les mots qui manquent dans ces questions.

- (…) se trouve l'Atomium ?
- Il se trouve à Bruxelles, en Belgique.
- (…) s'appellent les habitants de la Belgique ?
- Les Belges.
- (…) langues on parle en Belgique ?
- Le français, le néerlandais, l'allemand.
- (…) de temps il faut pour aller de Paris à Bruxelles ?
- 1 heure et quart.
- (…) est-ce que part le premier train pour Paris ?
- À 6 heures 25.

Conjugaison

 ② Recopie le texte dans ton cahier et conjugue les verbes entre parenthèses au présent de l'indicatif.

Adèle et son frère se (*lever*) à 7 h 30. Pendant qu'Adèle (*prendre*) sa douche et se (*préparer*), son frère (*prendre*) son petit-déjeuner. À 8 h, ils (*prendre*) le bus à côté de chez eux.

La localisation

 ③ Regarde le dessin. Où se trouve le collier ?

 ④ Recopie dans ton cahier et complète avec les mots de la liste.

sous – sur – dans – devant

Il est (…) la boîte en plastique qui est (…) les livres qui sont (…) l'étagère qui est (…) toi.

Maintenant, trouve le bracelet.

VOCABULAIRE

Les nationalités et les professions

 ⑤ Transforme au féminin et écris dans ton cahier.

a. C'est un informaticien iranien.

b. C'est un serveur suisse.

 ⑥ Transforme au masculin et écris dans ton cahier.

a. C'est une artiste sénégalaise.

b. C'est une actrice chinoise.

PHONÉTIQUE

Les sons [œ] et [ø]

 ⑦ Recopie le tableau. Écoute et coche le son.

	a.	b.	c.	d.	e.	f.	g.	h.	i.	j.
[œ]										
[ø]										

COMMUNICATION

Demander et donner l'heure

 ⑧ Prends un papier dans la boîte des heures et un papier dans la boîte des minutes.

a. Promène-toi dans la classe, un(e) camarade te demande l'heure, tu réponds.

b. Tu demandes l'heure à un(e) autre camarade.

Quelle heure est-il ?

Il est (…) h et quart, moins le quart, et demie.

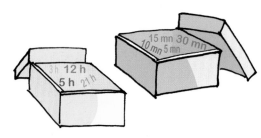

Parler d'un pays

 ⑨ Écoute Bengina parler de son pays d'origine et réponds.

a. Quelle heure est-il dans ce pays quand il est 8 h à Paris ?

b. Quel est le nom de la capitale de ce pays ?

c. Quel temps fait-il, là-bas ?

 ⑩ Présente un pays à tes camarades, dis :

• son nom, le nom de sa capitale.

• sur quel continent il se trouve.

• le temps qu'il fait à cette période de l'année.

Quel temps fait-il ?

Il fait beau, chaud, froid.

Il y a du soleil…

Donner son emploi du temps

 ⑪ Choisis un jour de la semaine sans le dire. Tes camarades posent des questions pour deviner quel jour c'est.

À quelle heure tu te lèves ? À quelle heure tu vas au lit ?

À (…) h, de (…) à (…) h.

Parler d'une profession

 ⑫ Le jeu du pendu. Cherche les lettres pour compléter ces deux professions au féminin ! Attention, tu peux être pendu(e) !

V _ _ _ _ _ _ E   P H _ _ _ _ _ _ _ E

Maintenant, parle de ces professions.

Projet

Présentez cinq pays à vos camarades.

Choix d'un pays

 ···❶ Formez cinq groupes. Chaque groupe tire au sort un pays.

 ···❷ Chaque groupe cherche des informations sur ce pays, pour remplir la fiche.

Voici quelques adresses utiles :

Pour le décalage horaire :
http://www.horlogeparlante.com/

Pour la prévision météo :
http://www.tv5monde.com/cms/chaine-francophone/meteo/p-139-lg-La_meteo_internationale.htm

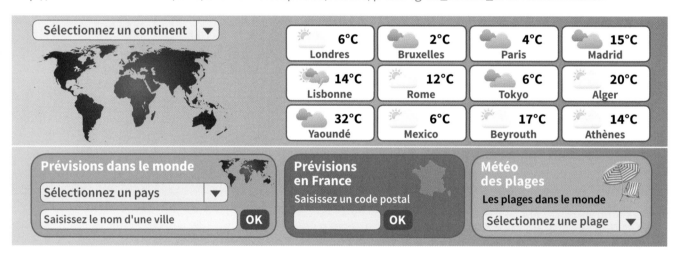

Sélectionnez un continent ▼

6°C Londres	2°C Bruxelles	4°C Paris	15°C Madrid
14°C Lisbonne	12°C Rome	6°C Tokyo	20°C Alger
32°C Yaoundé	6°C Mexico	17°C Beyrouth	14°C Athènes

Prévisions dans le monde
Sélectionnez un pays ▼
Saisissez le nom d'une ville OK

Prévisions en France
Saisissez un code postal OK

Météo des plages
Les plages dans le monde
Sélectionnez une plage ▼

Création du projet

 ···❸ Chaque groupe prépare la fiche de présentation du pays et cherche quelques photos.

Nom du pays : (...) Nombre d'habitants : (...) Nom des habitants du pays : (...) Capitale : (...) Langues officielles : (...) Décalage horaire avec Paris : (...) Prévisions météo : (...)	**Photos** 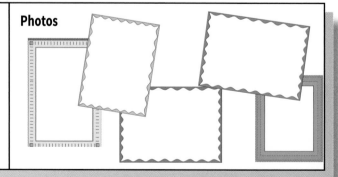

Présentation du projet

 ···❹ Chaque groupe présente le pays aux autres groupes et fait des commentaires sur le travail des autres.

Grammaire

Le genre et le nombre des noms et des adjectifs

① Le féminin

Des noms *(exemple des nationalités)*

Pays	Habitant	Habitante
la France	un Français	une Française
le Maroc	un Marocain	une Marocaine
le Vietnam	un Vietnamien	une Vietnamienne
la Belgique	un Belge	une Belge
l'Allemagne	un Allemand	une Allemande

Des adjectifs *(exemple des professions)*

Il est...	Elle est...
journaliste	journaliste
coiffeur	coiffeuse
avocat	avocate
musicien	musicienne
directeur	directrice
boulanger	boulangère

② Le pluriel

En général, on ajoute un **-s** pour former le pluriel des noms et des adjectifs.
une gomme → *des gommes*

Il est journaliste. → *Ils sont journalistes.*

Les articles

	Définis	Indéfinis
Masculin singulier	**le** cahier **l'**ordinateur (devant une voyelle ou un **h** muet)	**un** agenda
Féminin singulier	**la** trousse **l'**école (devant une voyelle ou un **h** muet)	**une** gomme
Masculin et féminin pluriel	**les** élèves **les** classes	**des** crayons **des** feuilles

Formes contractées
- avec la préposition **à** :
  au (à + le)
  aux (à + les)
- avec la préposition **de** :
  du (de + le)
  des (de + les)

Grammaire

Les pronoms personnels

Les **pronoms personnels sujets** sont obligatoires pour conjuguer un verbe (sauf à l'impératif).

Pour insister, on peut renforcer les pronoms sujets par des **pronoms personnels toniques**.

Genres	Pers.	Sujets	Toniques
Singulier	1re	**Je** fais du judo. **J'**aime le sport.	**Moi**, je préfère le dessin.
	2e	**Tu** viens en ville ?	**Toi,** tu ne viens pas !
	3e	**Il** parle trois langues. **Elle** est belge. **On** va chez mon oncle.	**Lui**, il parle anglais et russe. **Elle**, elle est espagnole.
Pluriel	1re	**Nous** partons en vacances.	**Nous,** nous restons ici.
	2e	**Vous** écoutez ?	**Vous**, vous n'écoutez pas !
	3e	**Ils/Elles** vont au cinéma.	**Eux**, ils vont à la piscine. **Elles**, elles vont au gymnase.

À l'oral, **on** = **nous**.

Les adjectifs possessifs (un possesseur)

Possesseurs	Singulier		Pluriel
	Masculin	Féminin	Masculin et féminin
Je	mon ami	ma mère	mes parents
Tu	ton ami	ta mère	tes parents
Il/Elle	son ami	sa mère	ses parents

On utilise le masculin devant un nom féminin singulier qui commence par **une voyelle** ou par un **h** muet.

mon **a**mie   mon **h**istoire
ton **a**mie   ton **h**istoire
son **a**mie   son **h**istoire

Le présent de l'indicatif

Pour former le présent de l'indicatif des verbes en *-er*, on ajoute au radical les terminaisons :
-e, -es, -e, -ons, -ez, -ent.

AIMER	
J'	aim**e**
Tu	aim**es**
Il/Elle/On	aim**e**
Nous	aim**ons**
Vous	aim**ez**
Ils	aim**ent**

Les formes du verbe avec *-e*, *-es* et *-ent* sont identiques à l'oral.

L'impératif

L'impératif exprime un ordre, une invitation ou un conseil.
L'impératif a trois personnes. Il se forme comme le présent de l'indicatif, sauf à la 2ᵉ personne du singulier :
le **–s** disparaît. Avec l'impératif, on n'utilise pas de pronom sujet

Présent de l'indicatif		Impératif
Tu	chante**s**	Chant**e** !
Nous	chantons	Chantons !
Vous	chantez	Chantez !

Le futur proche

Le futur proche exprime une action qui va se passer dans un avenir proche.
Il se forme avec : **aller** (au présent de l'indicatif) + **infinitif**

*Pour Noël, je **vais voir** mes grands-parents.*

L'expression de la quantité

*Tu as **combien de** cadeaux ?*

Pas de *cadeau.* **Peu de** *cadeaux.* **Beaucoup de** *cadeaux !* **Trop de** *cadeaux !!!*

Les prépositions

1 *à* et *en*

a. La préposition **à** peut exprimer :

- la possession : *Le livre est **à** moi.*
- la localisation : *J'habite **à** Paris* (ville).
- l'heure : *On se voit **à** 8 heures.*

b. La préposition **en** peut exprimer :

- la localisation : *j'habite **en** France* (pays).
- la matière : *C'est un objet **en** plastique.*

Grammaire

② *de / d'*

de et **d'** peuvent exprimer :

- la provenance : *Je viens **d'**Espagne.*
- la parenté : *Mamie Hélène, c'est la mère **de** mon père.*
- la possession / l'appartenance : *C'est le livre **de** Karim.*

> On utilise **d'** devant un mot qui commence par une **voyelle** ou par un **h** muet.

③ La localisation

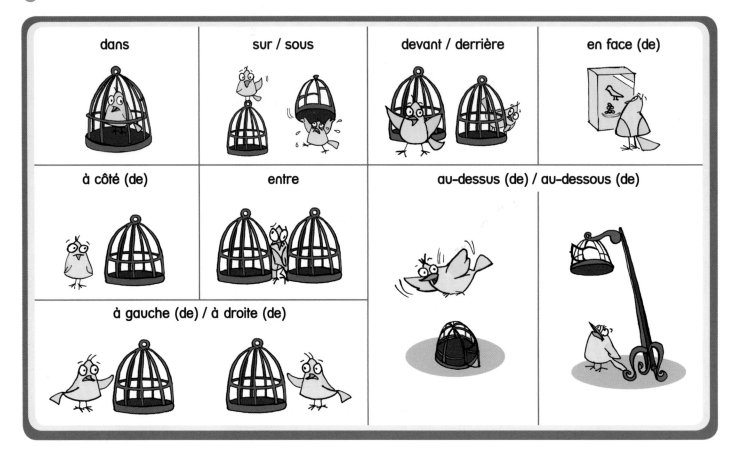

dans	sur / sous	devant / derrière	en face (de)
à côté (de)	entre	au-dessus (de) / au-dessous (de)	
à gauche (de) / à droite (de)			

④ Autres prépositions

- **pour** + pronom tonique (destinataire)
*Tiens ! C'est **pour** toi !*
- **pour** + infinitif (but)
*Je vais au stade **pour** jouer au rugby.*

- **chez** + nom ou pronom tonique (le domicile de…)
*Je fais une fête samedi. Tu viens **chez** moi ?*
- **avec** + nom ou pronom tonique (la compagnie)
*Tu pars seule ou **avec** tes parents ?*

La négation

En français, la négation se compose de deux éléments qui entourent le verbe : **ne** … **pas**.

*Je **ne** veux **pas** le pull vert, il est moche.*

> On utilise **n'** devant un verbe qui commence par une **voyelle** ou par un **h** muet :
>
> *Je **n'**aime **pas** les films tristes.*
> *Il **n'**habite **pas** à Paris.*

L'interrogation

1 **L'interrogation totale :** elle porte sur toute la phrase et appelle une réponse globale affirmative *(oui)*, négative *(non)* ou hésitante *(peut-être)*.

Elle peut prendre deux formes :

- l'interrogation marquée par la seule intonation. **C'est la plus simple.** Elle garde l'ordre de la phrase affirmative. Elle se distingue uniquement par l'intonation montante.
À l'écrit, elle se différencie de la phrase affirmative par le point d'interrogation.
Tu viens à la fête de Véro **?**

- l'interrogation introduite par la tournure *est-ce que...*
La tournure *est-ce que* est placée au début suivi de la forme affirmative de la phrase.
Est-ce que *tu viens à la fête de Véro ?*

2 **L'interrogation partielle :** elle porte sur un ou des éléments de la phrase. La réponse dépend du mot interrogatif utilisé dans la question.

Pour poser des questions sur...	...on utilise
une personne	*C'est* **qui** *? ***Qui*** *c'est ?* *Tu connais* **quel** *chanteur français ?* **Quel** *chanteur français est-ce que tu connais ?*
une chose	*C'est* **quoi** *?* **Qu'est-ce** *que c'est ?* *Tu aimes* **quels** *films ?* **Quels** *films est-ce que tu aimes ?*
une activité	*Tu fais* **quoi** *ce soir ?* **Qu'est-ce** *que tu fais ce soir ?* **Quelle** *activité tu fais ?* **Quelle** *activité est-ce que tu fais ?*
un moment, une période	*C'est* **quand** *les vacances ?* **Quand** *est-ce qu'ils arrivent ?*
un lieu	*Tu vas* **où** *?* **Où** *est-ce que tu vas ?*
une quantité	**Combien** *ça coûte ?* **Combien** *de mangas est-ce que tu as ?*
un nom une caractéristique une manière de faire	**Comment** *tu t'appelles ?* **Comment** *est-ce que tu t'appelles ?* **Comment** *il est le nouveau prof ?* **Comment** *est-ce qu'il est le nouveau prof ?* **Comment** *on fait pour aller chez toi ?* **Comment** *est-ce qu'on fait pour aller chez toi ?*
une cause, une raison ou un motif	**Pourquoi** *il est pessimiste ?* **Pourquoi** *est-ce qu'il est pessimiste ?* **Pourquoi** *la terre est ronde ?* **Pourquoi** *est-ce que la terre est ronde ?*

- Les mots interrogatifs peuvent être invariables. Ce sont des pronoms interrogatifs :
qui, que, quoi, quand, où, combien, comment, pourquoi.

- Certains interrogatifs s'accordent avec le nom qu'ils précèdent. Ce sont des adjectifs interrogatifs :
quel, quelle, quels, quelles.
Quel *âge tu as ?* (masculin singulier)
Quelle *est ta matière préférée au collège ?* (féminin singulier)
Quels *sports est-ce que tu pratiques ?* (masculin pluriel)
Quelles *sont tes activités pendant les vacances ?* (féminin pluriel)

- La question portant sur la cause avec *pourquoi* appelle toujours une réponse avec *parce que.*
  - **Pourquoi** *tu apprends le français ?*
  - **Parce que** *j'aime les langues étrangères.*

Conjugaison

Verbes auxiliaires

	Présent de l'indicatif		Impératif
AVOIR	j' tu il/elle/on nous vous ils/elles	ai as a avons avez ont	 aie ayons ayez
ÊTRE	je tu il/elle/on nous vous ils/elles	suis es est sommes êtes sont	 sois soyons soyez

Verbes semi-auxiliaires

	Présent de l'indicatif		Impératif
ALLER	je tu il/elle/on nous vous ils/elles	vais vas va allons allez vont	 va allons allez
VENIR	je tu il/elle/on nous vous ils/elles	viens viens vient venons venez viennent	 viens venons venez

Verbes impersonnels

Ces verbes se conjuguent uniquement à la troisième personne du singulier (il).

	Présent de l'indicatif		Impératif
FALLOIR	il	faut	*Pas d'impératif*
PLEUVOIR	il	pleut	*Pas d'impératif*

Verbes en *-er* (1er groupe)

	Présent de l'indicatif		Impératif
AIMER	je tu il/elle/on nous vous ils/elles	aime aimes aime aimons aimez aiment	 aime aimons aimez

Verbes en *-er* particuliers

	Présent de l'indicatif		Impératif
APPELER	j' tu il/elle/on nous vous ils/elles	appelle appelles appelle appelons appelez appellent	 appelle appelons appelez
COMMENCER	je tu il/elle/on nous vous ils/elles	commence commences commence commençons commencez commencent	 commence commençons commencez

	Présent de l'indicatif		Impératif
ACHETER	j' tu il/elle/on nous vous ils/elles	achète achètes achète achetons achetez achètent	 achète achetons achetez
COMPLÉTER	je tu il/elle/on nous vous ils/elles	complète complètes complète complétons complétez complètent	 complète complétons complétez

	Présent de l'indicatif	Impératif
LEVER	je lève tu lèves il/elle/on lève nous levons vous levez ils/elles lèvent	lève levons levez

Verbes du 2ᵉ groupe (en –ir)

	Présent de l'indicatif	Impératif
CHOISIR	je choisis tu choisis il/elle/on choisit nous choisissons vous choisissez ils/elles choisissent	choisis choisissons choisissez

Verbes du 3ᵉ groupe

	Présent de l'indicatif	Impératif
COURIR	je cours tu cours il/elle/on court nous courons vous courez ils/elles courent	cours courons courez
DIRE	je dis tu dis il/elle/on dit nous disons vous dites ils/elles disent	dis disons dites
ÉCRIRE	je écris tu écris il/elle/on écrit nous écrivons vous écrivez ils/elles écrivent	écris écrivons écrivez
FAIRE	je fais tu fais il/elle/on fait nous faisons vous faites ils/elles font	fais faisons faites

	Présent de l'indicatif	Impératif
MANGER	je mange tu manges il/elle/on mange nous mangeons vous mangez ils/elles mangent	mange mangeons mangez
PRÉFÉRER	je préfère tu préfères il/elle/on préfère nous préférons vous préférez ils/elles préfèrent	préfère préférons préférez

	Présent de l'indicatif	Impératif
LIRE	je lis tu lis il/elle/on lit nous lisons vous lisez ils/elles lisent	lis lisons lisez
POUVOIR	je peux tu peux il/elle/on peut nous pouvons vous pouvez ils/elles peuvent	*Pas d'impératif*
PRENDRE	je prends tu prends il/elle/on prend nous prenons vous prenez ils/elles prennent	prends prenons prenez
RÉPONDRE	je réponds tu réponds il/elle/on répond nous répondons vous répondez ils/elles répondent	réponds répondons répondez
VOULOIR	je veux tu veux il/elle/on veut nous voulons vous voulez ils/elles veulent	*Impératif inusité*

Crédits photos

Direction éditoriale : Béatrice Rego
Édition : Sylvie Hano, Chloé Larus
Conception graphique : Emma Navarro
Mise en page : Nicole Sicre
Illustrations : Conrado Giusti / Adriana Canizo / Olivier Le Discot
Recherche iconographique : Nathalie Lasserre
Enregistrements : Vincent Bund
Vidéo : BAZ

© CLE International / SEJER, 2016
ISBN : 978-209-038924-1

Imprimé en mars 2018 par «La Tipografica Varese Srl», Varese - Italie
Dépôt légal : juin 2016 - Projet : 10244346